PRINTED IN FRANCE

PRINTED IN FRANCE

ANGES

CE VOLUME
A ÉTÉ ACHEVÉ D'IMPRIMER
LE DIX JUIN MIL NEUF CENT QUARANTE-SIX
POUR LES ÉDITIONS PIERRE TISNÉ
SUR MAQUETTES
DE CLAUDE RÉMUSAT ET J. PICART-LEDOUX
TYPOGRAPHIE DE J. DUMOULIN
(H. BARTHÉLEMY, DIRECTEUR)
TIRÉ SUR LES PRESSES
DE L'IMPRIMERIE DES BEAUX-ARTS
HÉLIOGRAVURE PAR SAPHO
CLICHÉS BUSSIÈRE ET NOUËL
HORS-TEXTE EN COULEURS
PAR ARTRA, DEBERQUE ET KAUFFMANN
ET LAFFRAY FRÈRES
IMPRIMÉ EN FRANCE

ANGES

TEXTE DU R. P. REGAMEY, O. P.

AVEC DES NOTICES ANALYTIQUES PAR

RENÉE ZELLER

ÉDITIONS PIERRE TISNÉ

PARIS

Si vous ne croyez pas

quand je vous parle des choses qui sont sur la terre,

comment croirez-vous

si je viens à vous parler de celles qui sont dans le ciel?

(NOTRE SEIGNEUR EN SAINT JEAN, III, 12.)

QUI sait si nous n'allons pas rencontrer un ange ? C'est ainsi que les choses se passent. Il est tout à coup sur le chemin. Agar fuit, sans but, les mauvais traitements de Saraï, sa maîtresse. Alors le texte sacré nous dit, comme une chose toute simple : « L'Ange de Yahweh la trouva près d'une source d'eau dans le désert. » (*Gen.*, XVI, 7.) Il n'est plus question d'anges depuis combien de siècles et de millénaires, depuis ces mystérieux chérubins et cette flamme de l'épée tournoyante que Yahweh Dieu posta à l'orient du jardin d'Éden, pour empêcher l'homme déchu d'approcher de l'arbre vivifiant. (*Gen.*, III, 24.) Les anges ne se montraient-ils plus ? Pourquoi l'un d'eux apparaît-il en cette circonstance plutôt qu'en d'autres, où l'on jugerait leur service plus urgent ? Quand Dieu parle à Adam, à Caïn, à Noé, à Abraham, il n'est fait de ces ministres célestes aucune mention. Mais voici qu'un Ange est en quête d'Agar dans le désert, et la trouve près de là source qui est sur le chemin de Sur. Il dit : « Agar, servante de Saraï, d'où viens-tu et où vas-tu ? » Elle répondit :

« Je fuis loin de Saraï, ma maîtresse. » L'Ange de Yahweh lui dit : « Retourne vers ta maîtresse et humilie-toi sous sa main. » L'Ange de Yahweh ajouta : « Je multiplierai extrêmement ta postérité... » Quoi ? Que vient-il de dire ? Il a tenu le langage de Dieu en personne. Le maître de la vie c'est Dieu. C'est lui qui donne ou refuse la bénédiction des entrailles. Au fait, on ne nous a point parlé d'un ange entre autres, mais de « l'Ange de Yahweh ». C'est un personnage unique, qu'on n'a pas à nous présenter, ou peut-être n'est-il pas possible de nous mettre au fait de sa nature. Se distingue-t-il de Dieu, est-il Dieu même ? Qui décidera ? En tout cas, le texte porte : « Agar donna *à Yahweh qui lui avait parlé* le nom de Atta-El-Roï. » Et Agar s'interroge : « Ai-je donc ici même vu le Dieu qui me voyait ? » On peut tout à coup rencontrer un ange, et peut-être que cet ange n'est rien de moins que Dieu !

Tout un courant doctrinal, dans le christianisme, et jusqu'à Bossuet lui-même, nous porterait à reconnaître en cet énigmatique « Ange de Yahweh » la Seconde Personne de la Trinité. Le Verbe divin se serait plu déjà à converser avec nous, aurait tenté de sa future incarnation comme de courts essais. L'émouvante hypothèse ! Nous ne l'adopterons pas. Elle est contredite par les indications qui paraissent distinguer de Dieu lui-même son Ange, comme la manière dont il se présentera à Josué devant Jéricho, pour lui enseigner le fameux procédé des trompettes : il se dira alors chef de l'armée de Yahweh, à la façon dont un général est sous le souverain dont il commande les troupes (*Jos.*, V, 14). Nous saurons par Daniel et par l'*Apocalypse* que le chef des armées célestes est saint Michel. Dans l'hypothèse d'incarnations momentanées du Verbe, il serait étonnant qu'elles n'eussent plus lieu au delà du temps des Juges : après la naissance de Samson, « l'Ange de Yahweh » ne se montrera plus. Saint Augustin, et la plupart des docteurs après lui, voient généralement en cet « Ange de Yahweh » un simple esprit céleste, mais chargé de manifester la puissance et la bonté de Dieu d'une façon si particulière qu'il a l'air de l'incarner.

En ce début d'un album d'images, nous commençons par feuilleter l'Écriture sainte, comme un livre d'images. Elle en est un. L'homme est un grand enfant. Dieu parle à son imagination, lui fait vivre des épisodes qui l'instruisent sur les réalités invisibles, mieux que ne feraient des enseignements. Observons sa méthode et, suivant l'ordre des apparitions, nous allons apprendre bien des choses sur le monde des esprits. Ils sont eux-mêmes des pédagogues divins qui viennent nous acclimater à la vie du ciel.

LES ANGES DANS NOTRE HISTOIRE

URANT les longs siècles des patriarches, puis des juges, les théophanies sont très matérielles. « L'Ange de Yahweh » remplit cet office d'inculquer au peuple enfant la certitude que le Dieu unique intervient dans les affaires des hommes d'une manière personnelle, qu'il a des initiatives, un caractère original et déconcertant, qu'on vit dans sa familiarité redoutable.

Trois hommes apparaissent à Abraham, tandis qu'il est assis à l'entrée de sa tente, aux chênes de Mambré, pendant la chaleur du jour. (*Gen.*, VIII.) (Voy. pl. 13 et 128.) Ils ont tous trois l'air de voyageurs. L'un est l'Ange de Yahweh, les deux autres sont anges moins extraordinaires. Abraham adore le premier seul. Ils reçoivent tous trois l'hospitalité. Ils attendent que Sara ait cuit les gâteaux de farine, qu'Abraham ait tué le veau tendre et bon, que le serviteur l'ait apprêté. Les trois messagers célestes se plient familièrement à ces mœurs humaines. Ils mangent sous l'arbre le veau, les gâteaux, le beurre et le lait. Étrangement, la conversation, qui s'engage au pluriel — « Ils dirent : Où est Sara, ta femme ? » — se poursuit au singulier : « Il dit : Je reviendrai chez toi à cette époque même, et voici, Sara, ta femme, aura un fils. » Bientôt les deux moindres anges vont voir à Sodome et à Gomorrhe si le crime des deux villes est arrivé jusqu'au comble. L'Ange de Yahweh reste à discuter avec Abraham.

Par la mission de ces deux anges nous apparaît le pouvoir surnaturel des envoyés divins. Quoiqu'ils aient l'air d'hommes ordinaires, au point d'exciter l'horrible convoitise des Sodomites, il leur suffit d'étendre la main pour défendre Lot contre la ruée de tout le peuple; ils frappent d'aveuglement les plus proches. Ils font fuir Lot et sa famille; ils attendent que le juste soit en sûreté à Ségor pour exécuter la vengeance divine : « Je ne puis rien faire, dit l'un d'eux, que tu ne sois arrivé. » (XIX, 22.) Or, le texte continue en attribuant à Yahweh l'envoi du feu céleste sur les villes maudites. Ainsi entrevoyons-nous que des anges jouent un rôle dans des actions qu'on peut nous raconter comme l'œuvre personnelle, directe, de Dieu.

C'est encore l'Ange de Yahweh qui sauve de la mort le petit enfant d'Agar, Ismaël; parlant du ciel, sans doute sans se montrer, il désigne à la désespérée qui, pour la seconde fois, fuit dans le désert et qui meurt de soif, un puits tout proche. (*Gen.*, XXI, 14-19). (Pl. 108.) C'est lui qui appelle du ciel Abraham, arrêtant d'un cri son bras au moment où il porte le couteau sur la gorge d'Isaac. C'est lui qui, sous l'aspect d'un homme, lutte toute une nuit avec Jacob au gué du Jaboc. (*Gen.*, XXXII, 25; *Osée*, XII, 5.) (Pl. 126 et 151.)

Des siècles s'écoulent, et il converse avec Moïse. Sur la montagne d'Horeb il l'appelle du buisson. Il fait plus que lui parler : il lui apparaît; mais, cette fois, il n'a plus l'aspect d'un homme, il se montre sous les espèces de la flamme (*Ex.*, III, 2). C'est encore lui, la colonne de nuée, obscure dans le jour, lumineuse la nuit, qui précède les Israélites, qui se porte derrière eux pour les protéger des Égyptiens (*Ex.*, XIV, 1 et 55), et avec laquelle Moïse converse (*Ex.*, XXXIII, 9). Étranges métamorphoses qui, en déconcertant les imaginations, les épurent, inculquent l'idée de la transcendance divine.

Mais voici que l'Ange de Yahweh se place sur le chemin de Balaam pour lui faire obstacle, lorsque cette espèce de sorcier, monté sur une ânesse, se rend chez le roi de Moab. Dieu, pour mieux frapper des primitifs, emploie maintenant des procédés comiques. Son Ange demeure d'abord invisible à Balaam, mais se montre à l'ânesse, terrible, une épée nue à la main. La bête épouvantée fuit dans les champs. Balaam la bat, pour qu'elle revienne sur le chemin. L'Ange deux fois se pose en des endroits de plus en plus resserrés, où l'ânesse, toujours plus affolée, écrase toujours plus rudement les jambes de son maître contre les clôtures, et en reçoit des coups toujours plus furieux, — jusqu'à ce que l'ânesse lui adresse en langage humain ses reproches et que l'ange apparaisse, au grand effroi de Balaam. Il lui dictera tout à l'heure, en présence du roi de Moab, des paroles prophétiques en faveur des Hébreux (*Num.*, XXII, 22 et ss.) (Pl. 124.)

Il parlera encore comme Dieu même, lorsqu'il se manifestera « à tous les enfants d'Israël » après leur installation dans la Terre promise, leur reprochant leur désobéissance, leurs compromis avec les peuples qu'ils ont trouvés établis en Canaan et avec les cultes païens. « *Je* vous ai fait monter d'Égypte », affirmerat-il. « *Je* ne les chasserai pas devant vous; ils seront à vos côtés et leurs dieux vous seront un piège. » (*Jud.*, II, 1-3.)

En effet, bientôt les Madianites opprimeront Israël. Pour lui expliquer sa disgrâce, Dieu ne lui enverra qu'un prophète. Mais ce sera de nouveau son Ange qui suscitera Gédéon (*Jud.*, VI). Enfin, quand les Philistins auront à leur tour écrasé Israël durant quarante années, il annoncera à la femme de Manué, stérile, qu'elle concevra le fils qui sera Samson. On voit dans ce dernier épisode comment, jusque dans le détail, les mœurs divines changent à l'égard des hommes, selon le progrès des conceptions surnaturelles qu'elles dégrossissent en eux. Manué offre à l'Ange, qui paraît être « un homme de Dieu », de lui apprêter un chevreau ; mais désormais l'Ange de Yahweh ne mange plus, comme il faisait sous le chêne de Mambré. Il demande à Manué d'offrir plutôt un holocauste à Yahweh. « Manué, nous dit le livre des Juges (*Jud.*, XIII), ne savait pas que c'était l'Ange de Yahweh. Et Manué dit à l'Ange de Yahweh : « Quel est ton nom, afin que nous t'honorions, quand ta parole s'accomplira ? » L'Ange de Yahweh lui répondit : « Pourquoi me demandes-tu mon nom ? Il est *Admirable*. » Ne serait-ce pas le nom même de Dieu ?... Manué offre l'holocauste et, tandis que la flamme s'élève, l'Ange y monte et s'y dissout.

Nous ne le reverrons plus.

Ainsi, durant de longs siècles, il intervenait de manières variées, déconcertantes toujours, et sans que l'on puisse comprendre pourquoi en certains cas Dieu communiquait avec nous par son ministère, tandis qu'en d'autres cas il parlait directement, ou du moins on ne fait pas mention de l'Ange. Durant cette longue période, ce ne sont pas encore *les anges* — au pluriel — qui se montrent, sauf en deux circonstances, à Jacob. D'abord en songe. Endormi la tête sur la pierre, le patriarche voit leurs multitudes qui montent et descendent sur l'échelle, en haut de laquelle se tient Yahweh, tout à fait distinct d'eux, sans confusion possible. Et que font en plein jour ces anges de Dieu que Jacob rencontre campés auprès de son chemin ? Nous retrouverons plusieurs fois des anges guerriers ; les armées célestes installent sur notre terre leurs tentes. Jacob s'écrie : « C'est ici le camp de Dieu ! » (*Gen.*, XXXII, 3.) (Pl. 122.)

Le Saint-Esprit authentifiera par les voix de saint Étienne et de saint Paul la tradition israélite selon laquelle la Loi fut donnée à Moïse par le ministère des anges (*Act.*, VII, 53 ; *Gal.*, III, 19 ; *Heb.*, II, 2), alors qu'aucune mention n'est faite d'eux dans les récits de l'*Exode*. Sans doute est-ce l'ange exterminateur qui a frappé les premiers-nés d'Égypte, mais le texte de l'*Exode* ne le dit pas (XII, 29-30). Lorsque, sous le pieux roi Ézéchias, pour sauver Jérusalem, un ange exterminera en une nuit cent quatre-vingt-cinq mille hommes de l'armée de Sennachérib (*II Reg.*, XIX, 35-36; *Is.*, XXXVII, 36; *I Mac.*, VII, 41; *II Mac.*, XV, 23), l'histoire profane n'aura connaissance que d'une épidémie propagée par des rats. Données bien remarquables. Où nos sens n'apercevraient que des causes physiques, l'Esprit-Saint nous révèle l'intervention de puissances célestes ou l'action directe de Dieu. Chacune de ces énergies peut être donnée comme une explication suffisante du fait.

Sous David, la peste fait des ravages dans le peuple. Le roi aperçoit l'ange exterminateur. On s'étonne — soit dit en passant — que cette vision n'ait pas séduit les peintres au génie dramatique, un Tintoret, un Delacroix; c'est une des plus grandioses de la Bible. « Dieu envoya un ange à Jérusalem pour la détruire, et pendant qu'il détruisait, Yahweh vit et se repentit de ce mal, et il dit à l'ange qui détruisait : « Assez! retire maintenant ta main.» L'ange de Yahweh se tenait près de l'aire d'Ornan, le Jébuséen. David, ayant levé les yeux, vit l'ange de Yahweh se tenant entre la terre et le ciel, et ayant à la main son épée nue tournée vers Jérusalem. Alors David et les anciens, couverts de sacs, tombèrent sur leur visage. » Et David supplie la colère divine d'épargner son peuple, de le frapper, lui, personnellement coupable (*I Paral.*, XXI, 14-17). Il bâtit un autel, offre des holocaustes et des sacrifices pacifiques, il crie à Yahweh. « Et Yahweh répondit par le feu qui descendit du ciel sur l'holocauste. Et Yahweh parla à l'ange, et celui-ci remit son épée dans le fourreau. »

L'ouverture sur le monde surnaturel n'est pas moins saisissante pour le serviteur d'Élisée. Le roi de Syrie envoie assiéger la ville où se trouve Élisée, afin de s'emparer du prophète. Le serviteur s'effraie. Son maître lui répond : « Ne crains rien, car ceux qui sont avec nous sont en plus grand nombre que ceux qui sont avec eux. » Élisée pria et dit : « Yahweh, ouvre ses yeux, pour qu'il voie! » Et Yahweh ouvrit les yeux du serviteur, et il vit, et voici : la montagne, autour d'Élisée, était pleine de chevaux et de chars de feu » (*II Reg.*, VI, 15-17).

N'avons-nous pas l'impression que la pédagogie divine change ses moyens? Yahweh ne risque plus d'être confondu avec une de ses créatures. Il exerce ses œuvres par des êtres évidemment très inférieurs à lui. En même temps, les apparitions ne se réalisent plus comme l'arrivée, dans le cours ordinaire de notre vie, d'envoyés célestes qui se matérialisent : c'est plutôt notre monde qui devient transparent et qui laisse entrevoir en sa trame l'activité d'êtres étranges, plus réels que lui. Déjà, il en avait été ainsi de l'apparition à Jacob des anges montant et descendant sur l'échelle. Le cas était exceptionnel à l'époque patriarcale. En s'éveillant, Jacob avait trouvé aux choses un air tout autre ; la réalité qu'elles cachent s'était montrée à lui ; ne cédons pas à la tentation de dire qu'elles perdaient déjà de leur consistance : au vrai, elles devenaient *sacrées*. « Certainement, Yahweh est en ce lieu, et je ne le savais pas !... Que ce lieu est redoutable ! C'est bien ici la maison de Dieu et la porte du ciel. » Désormais, et pour quelques siècles, avant et après l'exil de Babylone, c'est selon ce mode de songes, de visions, que les anges interviennent ordinairement : nous voici au temps des prophètes.

Cette ère des grandes visions angéliques s'ouvre par celle d'Isaïe. Étranges séraphins auxquels, dans l'imagination du prophète, l'Esprit inspirateur donne un aspect qui les apparente aux êtres ailés gardiens des palais royaux en Babylonie. Le Seigneur était « assis sur un trône haut et élevé, et les pans de sa robe remplissaient le temple. Des Séraphins se tenaient devant lui ; ils avaient chacun six ailes : de deux, ils se couvraient la face, de deux ils se couvraient les pieds et de deux ils volaient. Et ils criaient l'un à l'autre et disaient : Saint, saint, saint est Yahweh des armées ! Toute la terre est pleine de sa gloire. Les fondements des portes étaient ébranlés par la voix de celui qui criait, et la maison se remplit de fumée » (*Is.*, VI, 1-5). Dieu commence à se révéler comme un souverain oriental, entouré d'une cour de ministres. Ce Roi, dont la splendeur est insoutenable aux yeux des séraphins eux-mêmes, le prophète est admis à le voir et il s'en épouvante. « Malheur à moi ! je suis perdu ! car je suis un homme aux lèvres souillées... » Mais l'un des séraphins touche ces lèvres impures avec un charbon ardent ; aussitôt le prophète est animé d'une audace qu'il ne se connaissait pas. Il s'offre résolument pour porter au peuple les plus dures paroles de Dieu.

Des anges bien plus étonnants encore président à la vocation d'Ézéchiel (ch. I). Les cieux s'ouvrent au-dessus du sombre captif, la main de Dieu s'appesantit sur lui, le vent du septentrion souffle en tempête ; il apporte une obscure nuée, d'où resplendit alentour une masse de feu ; au milieu de la nuée, comme l'aspect d'un métal plongé dans le feu ; au milieu, les quatre animaux. Jamais les peintres ne parvinrent, ni ne parviendront à représenter ces anges-là ; l'iconographie s'est vite résolue à n'attribuer à chacun qu'une de leurs quatre têtes, mais en fait, le prophète leur a vu à chacun une face d'homme, une face de lion, une face de taureau, une face d'aigle, et nous devons aussi renoncer à voir la façon dont s'agencent leurs ailes, et la manière dont ils se déplacent en ne se présentant jamais que du même côté, et l'impétuosité de leur marche où l'Esprit les fait aller, et leur aspect de charbons ardents, de foudre et d'éclairs. Et voilà que tournent, tandis qu'ils vont, et se déplacent avec eux un enchevêtrement de roues, de roues aux jantes d'une hauteur effrayante, et toutes remplies d'yeux. Ces roues sont aussi des anges. Et cette ouverture sur le monde céleste suggère combien déconcertants sont les desseins divins qui s'accomplissent à la faveur d'incompréhensibles vicissitudes. La vision se reproduit quelque six ans après, lorsque Dieu décide de détruire Jérusalem, impénitente malgré les premières épreuves, et lorsque sa gloire quitte le Temple, désormais profané. Alors le prophète voit également six hommes, leurs instruments de destruction à la main; un autre, vêtu de lin, une écritoire de scribe à la ceinture, pour marquer du Thau préservateur le front des justes qui soupirent et gémissent encore à cause de l'idolâtrie; ce dernier lui-même, sa mission de miséricorde accomplie, participe à l'œuvre de mort (*Ez.*, IX et X).

Le livre de Daniel est plein d'anges. L'ange du Seigneur descend dans la fournaise avec les trois jeunes Hébreux; il écarte les flammes et rend le milieu de la fournaise tel que si un vent de rosée y soufflait (*Dan.*, III, 49). Lorsque Daniel est dans la fosse aux lions, un ange prend Habacuc par les cheveux, en Judée, et le transporte à Babylone, pour qu'il donne au prophète la bouillie qu'il vient de faire cuire (*Dan.*, XIV, 32-38). Mais ce sont surtout les visions de Daniel qui font progresser notre connaissance des anges. C'est là qu'on en voit la prodigieuse multitude. « Mille milliers » servent l'Ancien des Jours, « une myriade de myriades se tiennent debout devant lui » (*Dan.*, VII, 10). C'est Daniel qui nous fait faire connaissance avec Gabriel et avec Michaël, dont les noms signifient « Force de Dieu » et « Qui est comme Dieu ? » L'un s'y montre pour la première fois chargé de faire entendre les révélations divines; il explique à Daniel ses visions et lui ouvre l'intelligence (*Dan.*, VIII, 15-18; IX, 23) (Pl. 129); quant à Michel, il est « le grand chef qui se tient pour les enfants » du peuple juif (*Dan.*, X, 13, 21); et nous apprenons ainsi que certains anges assument le rôle de gardiens des hommes, ici de gardiens de peuples entiers; Michel va combattre les anges de la Perse et de l'Empire grec (*Dan.*, XII, 1); au-dessus des conflits humains a donc lieu une lutte spirituelle. Michel apparaît au prophète comme « un homme vêtu de lin, les reins ceints d'une ceinture d'or d'Uphaz. Son corps était comme le chrysolithe, son visage avait l'aspect de l'éclair, ses yeux étaient comme des torches de feu, ses bras et ses pieds avaient l'aspect de l'airain poli, et sa voix quand il parlait était comme la voix d'une multitude » (*Dan.*, X, 5-6). En vérité, ces êtres célestes sont faits pour décourager les peintres.

L'époque judaïque, c'est-à-dire celle qui suit le retour de Babylone en Terre sainte, donne naissance à une littérature bizarre, une littérature orgueilleuse et subtile, qui ne parle pas du tout au cœur, qui veut éblouir l'imagination, exercer l'ingéniosité de l'esprit, stupéfier par un perpétuel sublime. Le Dieu d'Abraham, d'Isaac et de Jacob, le Dieu que prenait pour confident David, est relégué dans un éloignement infranchissable ; sous prétexte de respect, on n'a plus le droit de prononcer son nom ; sa fausse transcendance ne lui permet plus d'agir que par des hiérarchies multiples d'intermédiaires. Par contraste avec la prolixité et la singularité de ces écrits apocryphes, l'Écriture canonique relativement aux anges paraît bien sobre.

Néanmoins, les auteurs inspirés sont des hommes de leur temps, et quant au monde angélique, il est en lui-même étrange. Zacharie voit un cavalier monté sur un cheval roux, qui se tient entre des myrtes et qui commande à trois groupes de cavaliers, dont les chevaux sont roux, tachetés et blancs. Ce sont des anges. Ils ont parcouru la terre pour inspecter l'état actuel des peuples. Un ange interprète pour Zacharie les visions. Ils rendent compte de leur mission à l'Ange de Yahweh, qui n'est évidemment pas Dieu lui-même, puisqu'il implore de Dieu le pardon de Jérusalem et de la Judée. « Et Yahweh adressa à l'ange qui parlait avec moi de bonnes paroles, des paroles de consolation. » Et cet ange ordonne à Zacharie d'annoncer le rétablissement glorieux de Jérusalem, un nouveau règne de Dieu (*Zach.*, 1, 8-17). Ainsi avons-nous quelque ouverture sur les conseils de Dieu : des esprits y siègent. Satan, l'accusateur, y fait valoir contre les hommes ses griefs, malgré lesquels Dieu rétablit le sacerdoce judaïque (*Zach.*, ch. III), comme, au début du livre de Job, il réclame et obtient la permission de tenter ce juste. Les quatre esprits du ciel partent pour courir sur la terre, semblables à des chevaux roux, noirs, blancs et tachetés, exécutant les ordres de Dieu (*Zach.*, VI, 1-7).

Cependant les siècles qui s'écoulent entre le retour de captivité et la venue du Christ ont vu deux apparitions angéliques du même ordre que celles dont bénéficièrent les patriarches : je veux dire de ces manifestations très concrètes qui s'imposent aux sens externes, parmi les choses ordinaires. Ou plutôt, la première eut lieu durant l'exil, en Assyrie, mais elle est racontée vers l'an 250 ; c'est la charmante visite de Raphaël, le troisième et dernier des archanges dont la Bible mentionne le nom. Il est aussi celui dont le caractère personnel nous est le mieux décrit ; son nom veut dire : « Dieu guérit » ; Raphaël est secourable, il est plein de douceur et de gentillesse. Nul ne remplit le rôle miséricordieux de ces compagnons invisibles de façon plus délicate et avec une attention plus compréhensive, portée à ce qui compose nos vies. Il est vraiment un grand frère. Nous savons aussi par lui deux choses certaines sur les mœurs et offices angéliques : lorsque les anges se montrent à nous corporellement et semblent même manger notre nourriture, ce n'est qu'une apparence (*Tob.*, XII, 19); lorsque nous peinons sur cette terre dans le service de Dieu, un ange « présente nos prières au Seigneur » (*Tob.*, XII, 12). (Pl. 88, 93, 99, 127.)

La seconde apparition est, au temps des Machabées, la « grande manifestation » de ce cheval « monté par un cavalier terrible et richement caparaçonné », qui s'élance avec impétuosité sur Héliodore, lorsque le profanateur ose s'emparer du trésor du Temple. « Il agita sur Héliodore ses pieds de devant; le cavalier paraissait avoir une armure d'or. En même temps lui apparurent deux autres jeunes hommes, pleins de force, brillants d'un vif éclat et vêtus d'habits magnifiques; s'étant placés l'un d'un côté, l'autre de l'autre, ils le flagellèrent sans relâche, lui portant une multitude de coups. Héliodore tomba subitement par terre, environné de profondes ténèbres; on le ramassa pour le mettre dans une litière, et cet homme, qui venait d'entrer dans la chambre du trésor avec une suite nombreuse de coureurs et de satellites armés, on l'emporta, incapable de s'aider lui-même, ayant visiblement éprouvé la puissance de Dieu » (*II Macch.*, III, 24-28). (Pl. 150.)

Je ne veux pas oublier ces guerriers vêtus d'or qui apparurent dans les airs, tandis qu'Antiochus organisait sa seconde expédition en Égypte; ils agitaient leurs boucliers, entre-choquaient leurs armes (*II Macch.*, V, 2-4). Et ces cinq hommes resplendissants, montés sur des chevaux aux freins d'or, qui décidèrent de la victoire de Judas Machabée sur Timothée : « Deux d'entre eux ayant pris Machabée au milieu d'eux, ils le gardaient invulnérable, en le couvrant de leurs armures; ils lançaient en même temps des traits et la foudre contre les ennemis qui, frappés d'aveuglement et remplis d'épouvante, tombaient en désordre » (*II Macch.*, X, 29-30).

★

Dans la proclamation de la Bonne Nouvelle, les interventions angéliques sont de la simplicité la plus pure. Gabriel ne semble avoir en lui-même rien d'effrayant. La sainte Vierge n'est pas troublée par son aspect, mais par cette appellation étonnante : « Pleine-de-grâce », qu'il substitue à son nom de Marie. Il doit avoir l'apparence d'un homme fort, bel et pur. (Pl. 19, 21, 24, 28, 29, 36, 40, 46, 58, 62, 67, 80, 89, 92, 96, 97, 102, 119, 130.)

Chose remarquable, le ministère des anges est d'autant plus discret qu'il est plus grand. Gabriel se montre à Zacharie d'une façon plus saisissante qu'à la sainte Vierge : cette station à droite de l'autel des parfums, dans le sanctuaire, le prêtre offrant l'encens, toute la multitude attendant au dehors, présente une solennité dont est dénuée tout à fait sa venue dans la petite chambre de Nazareth (*Luc*, ch. I). Si douces que soient les apparitions aux bergers dans la nuit de Noël, elles revêtent une splendeur merveilleuse : oui, il faut l'ambassade la plus simple pour annoncer à l'Ève Nouvelle qu'elle doit mettre au monde le Nouvel Adam et pour solliciter son « Fiat », pour préparer l'Incarnation en cette plénitude des temps; il suffit que les anges parlent à Joseph dans des songes pour instruire l'âme de ce juste (*Matth.*, I, 20; II, 13,19) (Pl. 143); mais pour appeler auprès du nouveau-né de la crèche quelques misérables bergers, Dieu députe la plus brillante ambassade; le rayonnement de sa gloire éclate dans la nuit, répandu par l'ange, et environne ces pauvres gens; une troupe de la milice céleste fait irruption, chantant : « Gloire à Dieu dans les hauteurs; sur la terre, paix; aux hommes, bonne volonté divine » (*Luc*, II, 9-14). Isaïe avait vu, avait entendu selon le mode d'une vision prophétique des séraphins chantant la louange de Dieu, mais ils étaient bien bizarres en eux-mêmes et sans relations avec les choses de ce monde; les bergers, au contraire, entendent de leurs oreilles, voient de leurs yeux de chair des anges qui leur sont fraternels; la terre et les cieux communiquent; les anges s'humanisent tendrement; Raphaël était déjà chrétien, et tous maintenant lui ressemblent; ils se mettent en accord avec leur Dieu qui devient un petit d'homme. (Pl. 56, 72, 81, 107.)

Tout le temps que Dieu en personne nous enseigne les lois de son amour et atteste directement sa puissance miséricordieuse, il ne permet pas que l'on aperçoive le ministère de ses anges. On ne nous parle de leur service qu'aux deux extrêmes de sa vie publique, avant qu'elle commence et quand elle se termine. Encore ce ministère a-t-il lieu en secret : au désert après que Satan s'est éloigné, au jardin des Oliviers durant l'agonie. Sans doute, nous est-il bon de constater l'empire de Jésus sur les puissances célestes quand il connaît ces affres mortelles de notre condition, celles où nous mettent la tentation et les épouvantes de la douleur. Le mauvais ange l'a tenté; il le met en fuite; alors de bons anges s'approchent et le servent (*Matth.*, IV, 11), épuisé sans doute par le jeûne de quarante jours et par la lutte. (Pl. 14.) A Gethsémani, selon le troisième évangéliste, « il lui apparut un ange du ciel qui le réconfortait. Et étant en agonie, il priait avec plus d'instance, et sa sueur fut comme des globules de sang qui coulaient jusqu'à terre » (*Luc*, XXII, 43). Mais peu après, lorsqu'on vient l'arrêter et que Pierre veut le défendre par les moyens humains, « Penses-tu, lui répond-il, que je ne puisse pas sur l'heure prier mon Père, qui me donnerait plus de douze légions d'anges ? » (*Matth.*, XXVI, 53). Il ne veut pas de leur secours : en sa passion et sur sa croix, il doit goûter au paroxysme la peine des hommes, réduit à ce que leur misère peut avoir de plus effroyable. Comment accepterait-il quelque adoucissement des puissances célestes, lorsqu'il éprouve la déréliction du Père ? « Son Heure » est celle où l'Homme par excellence, en son extrême passibilité, est « livré aux mains des hommes », et où se déchaîne sur lui la « Puissance des Ténèbres » (*Luc*, XXII, 53). Ce n'est pas l'heure des anges.

On peut donc dire en un certain sens que les anges jouent un rôle moindre dans l'Évangile que sous la Loi ancienne. Jésus est l'Unique Médiateur entre Dieu et les hommes ; Dieu nous visite lui-même au point de se faire l'un de nous. La réalité est en parfait contraste avec ce qu'imaginait le judaïsme : un Dieu inaccessible qui ne pouvait communiquer avec nous que par des intermédiaires. Une des premières perversions dont le christianisme devra se défendre sera de reporter sur eux l'intérêt et la dévotion qui reviennent au Christ. Saint Paul devra mettre en garde les Colossiens contre leur culte ; il manifestera la supériorité du Christ sur eux (*Hebr.*, I, 5-13) ; il montrera les anges contemplant le mystère du salut par le Christ et s'en émerveillant (*I Tim.*, III, 16) ; saint Pierre, de même, nous dit que les anges « désirent plonger leurs regards » en cet étonnant mystère (*I Petr.*, I-12). Dans l'*Apocalypse* un ange, par deux fois, refusera l'adoration que voudra lui rendre le voyant de Pathmos : « Prends garde ! Je ne suis qu'un serviteur comme toi, comme tes frères les prophètes et ceux qui gardent la parole du Livre ! » (*Apoc.*, XIX, 10 ; XXII, 9.) Mais si l'incarnation du Verbe divin interdit de conférer aux anges le rôle de médiateurs entre Dieu et les hommes qu'on risque de leur prêter sans le Christ, elle confirme leurs prérogatives, leurs fonctions. On voit qu'ils les exercent au service du Christ. En même temps, ils contribuent à nous donner de notre nature et de notre destinée l'idée la plus haute. Non seulement cette nature, qu'un psaume nous disait être un peu au-dessous de la leur, est exaltée au-dessus d'eux tous en la personne du Christ, mais chacun de nous est l'objet de la sollicitude des anges ; ce n'est pas seulement le peuple élu et les empires, comme nous le savions par David, ce sont les plus petits d'entre nous qui bénéficient de leur garde (*Matth.*, XVIII, 10).

Saint Jean attribue à l'action d'un ange un phénomène naturel, l'agitation périodique de l'eau dans la piscine de Béthesda (*Jn.*, V, 4). Le Seigneur, au début de son ministère, promet que l'on verra désormais le ciel ouvert et les anges montant et descendant sur le Fils de l'Homme (*Jn.*, I, 51). Pourtant aucun évangéliste ne nous rapporte que la chose — annoncée du reste comme habituelle — se soit produite aux yeux du corps. Il nous faut donc apercevoir des yeux de la foi ces communications surnaturelles dont les anges sont les ministres.

Il y aurait à examiner longuement, si notre objet n'était pas les bons anges, les nombreuses paroles du Seigneur relatives à Satan et à ses démons. Le Christ en a parlé plus que des bons anges, nous a avertis avec instance de les craindre plus que les maux apparents de cette vie. Il nous fait voir la vie comme une lutte contre ces puissances invisibles. Réalité redoutable, sur laquelle les apôtres insisteront à leur tour, jusqu'à saint Jean qui, dans son *Apocalypse*, nous montrera, au-dessus de ces combats de détail, le grand combat de Michel et de ses anges contre Satan et ses puissances maléfiques. Ce combat dure autant que le monde, et — malgré toutes ses vicissitudes — il est la chute assurée de ce séducteur, la perte de sa domination. Le Christ contemple déjà, dans l'empire qu'il communique aux siens sur les démons (*Luc*, X, 18-19), cette chute, rapide comme l'éclair — quoique, au cours des temps, elle nous paraisse un si long succès.

La manifestation angélique la plus brillante de l'Évangile se produit au moment le plus glorieux, celui de la résurrection. Les gardes du tombeau en sont les seuls témoins. L'ange descend du ciel, roule la pierre et, triomphalement, s'assied dessus. « Son aspect est comme un éclair, son vêtement blanc comme la neige » (*Mt.*, XXVIII, 2). (Pl. 32). Cette apparition fulgurante dure peu. Quand les femmes, au petit matin, se penchent dans le tombeau, les deux « hommes » qu'elles aperçoivent ont encore un vêtement éblouissant. D'épouvante, elles penchent le visage vers la terre. Ils leur disent : « Pourquoi cherchez-vous parmi les morts celui qui est vivant ? Il n'est point ici, il est ressuscité... » (*Lc*, XXIV, 4 et ss.). Quand Pierre et Jean arrivent à leur tour, ces anges sont partis. Ils reparaissent pour recevoir la seconde visite de Madeleine, qui se penche en pleurant dans le tombeau vide, où elle cherche en vain le Bien-Aimé ; ils ne sont plus semblables qu'à deux hommes, simples et chastes, en leurs aubes ; elle converse tristement avec eux comme avec deux intrus (*Jn.*, XX, 11 et ss.). De quelle façon délicate les anges proportionnent leur aspect selon les situations ! Ici, la chose est d'autant plus remarquable que, pour s'en apercevoir, il faut comparer des traits empruntés aux divers évangélistes. Ensuite, le Christ se manifestant lui-même, il n'est plus question d'eux. Quarante jours après, tandis que le Christ disparaît aux yeux des apôtres dans une nuée, ils reviennent. Ils sont toujours aussi simples, vêtus de blanc. « Hommes de Galilée, disent-ils, pourquoi vous arrêtez-vous à regarder au ciel ? Ce Jésus qui, du milieu de vous, a été enlevé au ciel, reviendra de la même manière que vous l'avez vu monter. » A l'improviste.

L'Écriture sainte jusqu'à l'Évangile nous fait ainsi connaître les différents types d'apparitions angéliques, ou plutôt nous voyons que leur étonnante variété n'offre pas deux cas semblables. Cette pure gratuité convient bien à l'intervention dans notre monde d'un monde différent, supérieur, qui le gouverne. Le jeu continue après l'Ascension. Que le grand prêtre et les Sadducéens arrêtent les apôtres, un ange ouvre durant la nuit les portes de la prison et ordonne aux témoins du Christ d'enseigner dès le matin dans le Temple (*Act.*, V, 19-20). C'est un ange qui envoie le diacre Philippe sur la route de Gaza pour qu'il y rencontre le ministre de la reine d'Éthiopie et lui annonce le Christ (*Act.*, VIII, 26). « Dans une vision », mais « clairement », le centurion Corneille voit entrer chez lui un ange de Dieu, qui lui donne l'adresse de Simon-Pierre et lui dit de le faire venir ; la chose est d'importance : Corneille et les siens vont être les premiers païens qui entreront dans l'Église du Christ (*Act.*, X). Hérode-Agrippa, pour se faire bien voir des Juifs, emprisonne Pierre, après avoir décapité Jacques ; alors un ange délivre l'apôtre (*Act.*, XII, 6-10). (Pl. 109), et peu après, tandis que cet Hérode-Agrippa, le premier des princes païens persécuteurs, revêtu des habits royaux, assis sur un trône devant les Tyriens et les Sidoniens, se fait adorer comme un Dieu, « un ange du Seigneur le frappe... et il expire, rongé des vers » (*Act.*, XII, 20-23).

Ainsi Dieu a-t-il voulu exécuter par un ange son action extraordinaire en toutes ces prémices de l'Église.

Ensuite, tout au long de son histoire, l'Église voit les anges la visiter comme des oiseaux capricieux. Ou plutôt ce sont ses enfants qui quelquefois les aperçoivent ; l'Église elle-même, du regard de la foi, connaît leur assistance continuelle. Le plus singulier est que ces apparitions n'ont pas du tout lieu dans les plus graves conjonctures. Si les choses s'étaient passées à notre idée, on aurait vu saint Michel brandir son épée dans les grands périls que l'Église a courus, par exemple durant la lutte du sacerdoce et de l'empire, ou durant les croisades ; ou encore il aurait visiblement sévi contre la corruption du clergé aux époques de simonie et de luxure. Mais non ! il a accordé ses deux plus fameuses apparitions en songe à des évêques pour demander simplement qu'on lui consacrât des sanctuaires. L'Église, en son pèlerinage ici-bas, doit demeurer dans la foi ; elle est laissée à ses responsabilités, surtout dans les moments les plus décisifs. « Ma grâce te suffit », semble lui dire le Seigneur comme à saint Paul. Elle sait que les portes de l'enfer ne prévaudront point contre elle et que les anges sont plus nombreux à son service qu'alentour d'Élisée. Elle n'a pas besoin de les voir.

Parfois un ange apparut à un martyr dans sa prison, comme à Félix de Nole, ou le réconforta dans ses tourments, tels Tryphon et Respicius, préserva son corps de la décomposition, comme celui de Théodote jeté dans les flammes. Des anges ont apporté leur nourriture à des anachorètes dans le désert. De nombreux saints ont entendu leurs chants; quelques-uns furent invités par eux à quitter ce monde, lorsque l'heure en était venue, ou, comme Jean Gualbert, assistés par eux à leurs derniers moments. On a vu des anges porter de saintes âmes au ciel, ainsi celles de Paul ermite et d'Antoine. Ils ont communié de leurs mains des amis de Dieu qui, pour une raison ou l'autre, étaient privés de l'eucharistie. Le jeune Thomas d'Aquin, ayant triomphé d'une terrible tentation charnelle, ils ceignirent ses reins d'un cordon invisible, qui le brûla, et désormais il n'éprouva plus la moindre concupiscence. On a fait remarquer qu'ils s'adaptèrent souvent d'une manière qui nous est sensible au caractère de leurs obligés. Ainsi l'ange de Françoise Romaine est un magister qui exige une perfection ponctuelle; puisque Jean de Dieu a la vocation de se donner tout aux œuvres de miséricorde corporelle, ce sont des services de cet ordre que les anges lui rendent; l'un d'eux l'aide à porter un fardeau écrasant, qu'il traîne pour ses pauvres. Rien n'est indigne d'eux, à l'exemple de Dieu lui-même, à qui sa grandeur infinie permet de descendre dans l'infiniment petit : ils font la cuisine d'un couvent de franciscains, puisque le frère cuisinier est ravi en extase (Pl. 141), ou ils apportent du pain excellent aux premiers dominicains parce que ces pauvres avaient eu foi en la Providence malgré tous les rebuts, et après le repas ils recueillent solennellement les miettes. (Pl. 33).

Nous nous en tiendrons à ces quelques exemples. Ici, nous n'avons plus la certitude que nous procure l'Écriture divinement inspirée, et l'Église ne garantit pas les faits que l'on lit dans les vies de ses saints, pas même ceux qu'ils ont racontés : ces épisodes angéliques ne peuvent faire l'objet que d'une « pieuse croyance ». Leur foisonnement impressionne, ainsi que leur caractère si conforme à celui des apparitions rapportées par l'Écriture. Tout cela suscite en nous un monde de réflexions, où nous allons entrer.

Mais deux conclusions nous sont fournies tout de suite par des réponses de sainte Jeanne d'Arc durant son procès. On lui demande : « Avez-vous vu saint Michel et les anges corporellement et réellement? » Elle répond : « Je les ai vus de mes yeux corporellement et réellement, aussi bien que je vous vois. Et quand ils parlaient de moi, je pleurais; et j'eusse bien voulu qu'ils m'emportassent avec eux. » Voilà bien l'effet qu'ils produisent : ils nous parlent de nous! ils nous arment pour nos combats! ils nous mènent où nous ne voulons pas aller! « Va, fille de Dieu, va! » Ce faisant, ils augmentent pour nous l'amertume du monde. C'est miséricorde qu'ils ne se manifestent pas plus souvent. Mais leur venue, qui nous engage dans une lutte plus exigeante, éveille aussi en nous une générosité que nous ne connaissions pas et nous donne le goût de leur paradis. C'est que nous sommes bien leurs « compagnons de service », comme dit saint Jean.

On demande encore à Jeanne : « A quoi avez-vous reconnu que c'était saint Michel ? — A son parler d'ange. » Voilà une réponse qui nous fait rêver. Un cœur pur connaît le parler des anges, avant même que de l'entendre pour la première fois. Il le reconnaît aussitôt, avec tant de certitude qu'il lui fait identifier l'interlocuteur. Nous sommes d'avance accordés avec le paradis. Ses messagers peuvent nous causer quelque surprise, mais si nous sommes de ces petits dont Dieu est le Père, la conversation s'engage aussitôt.

L'HISTOIRE D'UN ANGE

MAINTENANT que l'on a considéré les principales apparitions angéliques, dont les peintres ont représenté quelques-unes, comment puis-je être le plus utile? Il me semble que c'est en exposant la doctrine chrétienne sur ces créatures mystérieuses. Ah! nous allons nous éloigner étrangement des images! Si déjà les peintres étaient souvent impuissants à représenter les anges tels qu'ils se sont montrés, ils doivent tout à fait donner leur démission quand il s'agit de pénétrer dans la vie personnelle de purs esprits. Assurément. Mais nous allons rencontrer plusieurs des grands thèmes inspirateurs des artistes, comme le combat spirituel, les hiérarchies angéliques, le jugement dernier, et nous en manifesterons le sens profond. L'écart même qui existe entre les réalités invisibles et les moyens dont disposent les peintres donnera sans doute au lecteur un sentiment plus vif de la difficulté de l'art chrétien. Pourtant, ce sera pour déboucher à la fin sur cette idée que la peinture n'est pas si « vaine ». A force de vivre en pensée et par le cœur parmi les anges, on en vient à une certaine conception du monde et de la destinée, qui est précisément une conception de *beauté*. Beauté spirituelle, certes. Mais les artistes qui s'en sont pénétrés en ont fait la transposition pour les yeux. Un au moins y a réussi et a mérité le titre d'angélique. Si nous espérons le retour d'un tel miracle, ce ne peut pas être d'une imitation, cela va de soi; mais ce n'est même pas d'une transposition simplement plastique, je veux dire de l'effort que ferait un peintre pour repenser avec ses moyens à lui ce que Fra Angelico a réalisé avec ceux du Quattrocento. Le peintre devra, en profondeur, faire sienne la vision spirituelle que l'Église chrétienne a des créatures et de la vie, en vertu de sa familiarité avec les anges. Il lui faut vivre selon cette vision. C'est d'elle qu'ont procédé les créations vraiment chrétiennes de l'art. Elle n'a pas perdu son pouvoir. Malheureusement, elle est méconnue. Que l'on ne s'étonne pas d'éprouver quelque difficulté à pénétrer dans le monde angélique : notre tournure d'esprit n'est pas favorable à cette familiarité-là. Mais qu'on ne se rebute pas. Je crois que la difficulté se dissipera vite. Je vais tâcher de vous entraîner. Je prendrai toujours pour guide le Docteur angélique. Il va nous conduire à de belles sources de lumière.

Notre familiarité avec les anges a fait beaucoup rêver les hommes. Le plus étonnant de tous ces rêves fut celui d'Origène. Le grand docteur alexandrin imagina que nous étions des anges déchus. Selon lui, le plan primitif du monde, dans la pensée divine, fut une société de purs esprits. Ils étaient égaux. Les uns péchèrent, plus ou moins, les autres montèrent, inégalement. Alors Dieu changea ses desseins. Le monde actuel est l'effet de la défaillance des esprits. Les hommes sont diversement engagés dans la matière selon la profondeur de leur chute. Il leur faut remonter. Par les épreuves de cette terre, ils se dégagent de la gangue où les voilà enserrés. La vie vertueuse leur fera retrouver les hiérarchies et la nature des bons anges.

L'Église a été sévère pour ces spéculations. Elles engagent toute notre vue du monde, notre destinée surnaturelle, le plan du salut. Quoi donc! ce monde si beau, si bon, que Dieu lui-même, en le créant, a déclaré « très bon », serait l'effet d'une chute! Quelle odieuse prévention contre la nature sensible! Certes, on peut entendre le « gémissement » de la nature, auquel saint Paul nous rend attentifs, comme s'exhalant de la nature brute elle-même, « assujettie (par l'homme) à la vanité », servant aux péchés des hommes qui devraient la tourner à la gloire de Dieu; on peut apercevoir dans la création entière les stigmates de notre faute. Mais le dualisme secret d'Origène, s'il était tout à fait logique, nous obligerait à penser qu'être corporel n'est pas bon pour le corps! Une défiance mauvaise à l'égard de la chair anime l'ascète excessif qui se mutila. Pour ces Orientaux, l'idéal de l'homme est l'asexué. La doctrine chrétienne sur les anges refusera d'être en rien affectée de si troubles ressentiments.

Elle nous délivrera aussi d'une certaine tendance, trop naturelle en nous, qui nous ferait projeter dans tout l'ordre des êtres notre propre instabilité. Origène se figurait les esprits dans un changement perpétuel, perdant leur degré, en conquérant un supérieur, les anges devenus hommes par déchéance, certains hommes tombant parmi les démons, d'autres s'élevant à l'angélisme, et la fluence des choses servant de vêtement honteux à des esprits inconstants. Dieu soit loué! Nous sommes sûrs que l'esprit est ce qu'il doit être : il est stable, ce principe de toute stabilité!

Pourtant, les anges ont une histoire, et cette histoire est dominée par une grande péripétie, une crise plus courte et plus violente qu'un éclair. Essayons de nous représenter cet état décisif. Essayons, puisque nous aussi sommes des esprits et que le Saint-Esprit nous en fait entrevoir quelque chose.

LA CRÉATION DES ANGES

D'ABORD, quand furent-ils créés et dans quel état?
Les deux seuls textes qui pourraient nous apporter quelque précision sur le premier point ne nous sont à ce sujet d'aucun secours. Le récit par lequel s'ouvre la Genèse ne prétend pas être une description rigoureuse de l'ordre et de la manière selon lesquels les divers éléments du monde sont apparus dans l'existence; il veut révéler plutôt de grandes vérités religieuses, sous une forme apte à frapper les âmes les plus simples. Nous ne nous préoccuperons donc pas du moment où l'on insérerait le mieux la création des anges dans ce récit qui n'en fait pas mention; nous ne tenterons pas de les reconnaître sous le nom du « ciel », comme les Pères grecs, ni sous celui de la « lumière », comme saint Augustin. Un concile œcuménique, infaillible, semble, à première lecture, nous apporter une précision : le quatrième concile du Latran, en 1215, affirme que Dieu a créé « *à la fois* l'une et l'autre créature spirituelle et corporelle ». Mais l'intention de ce concile n'est pas de définir l'apparition simultanée dans l'existence de tous les êtres, sauf l'homme, — dont il spécifie que la création eut lieu plus tard : — le texte vise le dualisme des Albigeois, pour qui la créature corporelle n'était pas l'œuvre de Dieu, mais du principe mauvais. Il coupe court, aussi, et définitivement, à l'origénisme, selon lequel cette créature était le fait d'un

amendement ultérieur au plan divin. Ce qu'il enseigne, c'est l'unité de ce plan créateur.

On peut donc penser que les anges apparurent avant le monde, ou bien en même temps, ou encore durant les millénaires où Dieu le formait. Dieu ne nous a rien révélé qui ne satisfasse que notre curiosité; on doit penser que le moment de la création des anges n'importe pas sur cette terre à notre contemplation et à notre salut. Quelque hypothèse que l'on adopte, elle peut se concilier avec l'admirable évocation de l'œuvre créatrice que nous lisons au livre de Job, dans le discours de Dieu : « Où étais-tu, quand je posais les fondements de la terre…, quand les astres du matin chantaient en chœur *et que tous les fils de Dieu poussaient des cris d'allégresse ?* »

Un fait certain est qu'ils furent tous créés bons. Le concile du Latran l'affirme solennellement. Ce serait un scandale, démenti par toute l'Écriture et par la raison elle-même, que rien pût sortir des mains de Dieu affecté de la moindre tare.

Ils ne jouirent pas de la vision de Dieu dès ce premier instant. Autre affirmation certaine, puisqu'il est certain qu'il y en eut parmi eux qui péchèrent. On ne peut voir Dieu sans éprouver pour lui un amour si souverain que la moindre faute devient impossible.

Insistons : On s'imagine parfois que c'est notre corps qui nous empêche de voir Dieu. De ce corps nous éprouvons tellement la gêne, le poids, l'opacité, que nous nous figurons qu'à peine dépouillé, il laissera notre âme dans la lumière divine. Nous pensons que les purs esprits se trouvèrent donc dans cette lumière aussitôt que créés. Il est vrai que, d'un simple regard, sans les pénibles raisonnements auxquels nous sommes astreints et où l'erreur se glisse, les anges prirent conscience d'eux-mêmes, car un pur esprit est parfaitement intelligible à soi, et dans leur essence spirituelle ils se virent infailliblement comme des créatures, ils conçurent l'idée de leur créateur, ils contemplèrent l'idée de ses perfections. Nous nous élevons si difficilement à ces pensées, à partir des choses sensibles parmi lesquelles nous vivons à tâtons! Ces choses mesurent toutes nos connaissances; nous avons beau épurer notre idée de Dieu, elle garde le mode grossier de ces choses matérielles, spatiales et successives. Les anges comprirent tout de suite l'Esprit pur, selon l'expérience qu'ils prenaient d'eux-mêmes, purs esprits. Mais ils ne le voyaient pas, en son essence, en sa vie intime, en sa lumière, qui est inaccessible.

Comment une créature verra-t-elle Dieu? Le mystère divin est tellement ineffable, il dépasse tellement tout ce que la plus puissante intelligence en peut concevoir par elle-même, qu'il faut que Dieu l'élève et la proportionne à lui. C'est l'office de la « lumière de gloire ». Nous venons de dire que les anges n'en jouirent point dès le début, puisqu'ils péchèrent. Mais pouvons-nous comprendre pourquoi Dieu ne la leur accorda pas tout de suite ?

C'est que si Dieu les en avait dotés, sans qu'ils fissent rien pour la mériter, il ne les aurait pas traités comme des esprits. L'esprit est liberté ! L'esprit est une image de Dieu et Dieu ne le violente pas. Nous rêvons toujours d'un bonheur qui nous ravisse comme des proies. En cela nous attestons que nos âmes sont encore celles d'esclaves. Mais Dieu nous estime au prix de la haute noblesse qu'il nous confère en nous créant esprits. A nous de *mériter* sa gloire.

Mériter de voir Dieu, quel mystère ! Il faut choisir en connaissance de cause cette vie intime de Dieu, à la communion de laquelle on est appelé, il faut donc en recevoir le sens, mais il ne faut pas qu'il contraigne comme la claire vision. Ainsi les anges ont-ils reçu l'énigmatique connaissance de foi, la révélation des mystères surnaturels, tels que la Trinité et l'Incarnation rédemptrice après la chute future de l'homme. Les réalités créées, si perspicace que soit le regard qui les scrute, fussent-elles les essences angéliques elles-mêmes, et la plus juste idée du Dieu créateur, ne peuvent en rien faire apercevoir ces mystères. C'est à ces mystères que les anges étaient invités à dire librement : oui !

Dieu est Amour, et mériter de lui être uni dans la claire vision suppose un élan d'amour qui aille à sa bonté suprême et qui règne sur tous les autres amours, élan vraiment surnaturel pour être à même de s'épanouir en une béatitude surnaturelle. Dieu seul peut infuser un tel amour dans sa créature, et néanmoins il ne faut pas que l'impulsion, ou l'aimantation en soit nécessaire.

Radicalement, il faut la grâce divine pour mériter ; la créature doit être équipée des moyens en rapport avec un but surnaturel ; à cet égard, on peut dire que la grâce est requise par la liberté elle-même : du moment que cette liberté est appelée à émettre des actes ayant une portée surnaturelle, il lui faut la grâce. Seule la grâce de Dieu exalte la liberté jusqu'à ce point que ses actes méritent la vie intime avec Dieu.

Il a donc fallu aux anges la grâce, avec la foi et la charité qu'elle apporte. L'opinion la plus commune des chrétiens qui prennent une conscience réfléchie de ce que Dieu nous a révélé, c'est-à-dire des théologiens, est que cette grâce, ils durent la recevoir dès l'instant de leur création. On pourrait bien, en théorie, imaginer un temps où les anges furent dans l'état de nature, et puis un autre où Dieu les éleva à l'état surnaturel, en leur donnant sa grâce. Mais cette hypothèse est bien compliquée. Il paraît plus conforme à la générosité et à la simplicité de

Dieu en ses œuvres qu'il donne dès le principe aux êtres ce qu'il leur faut pour faire leur destinée. Ces moyens d'accomplissement peuvent être d'abord à l'état de virtualité, avoir besoin de se développer, mais on ne voit pas pourquoi, surtout quand il s'agit d'un être simple, ils ne lui seraient pas accordés dès le départ. Nous pouvons donc penser que les anges furent créés en grâce. On en dit autant du premier homme, et il en serait ainsi de nous-mêmes si nous ne naissions au régime du péché originel.

LE MOMENT DU CHOIX

COMMENT un grand nombre de ces puissantes intelligences ont-elles pu pécher ? Allons-nous comprendre leur aberration ? Les anges ne pouvaient commettre aucun péché de la chair, puisqu'ils étaient de purs esprits. Ils n'étaient troublés par nulle passion ; ils ignoraient cette lutte, que nous connaissons si bien, entre nos désirs tumultueux et notre volonté : ces désirs viennent des sens. Ils ne pouvaient pas considérer comme le bien à poursuivre ce qui n'est qu'un bien apparent ; par exemple tel projet nous flatte, et notre jugement se corrompt ; nous jugeons désirable un bien indigne de nous ; nous prenons pour le but de notre vie des choses qui nous éloignent de notre fin. De telles erreurs sont inconcevables de la part des anges : leur connaissance est infaillible. Tandis que nous raisonnons avec peine, allant d'une idée à l'autre, et n'arrivant pas à les considérer toutes ensemble, si bien que nous en lâchons une et nous trompons dans toute la suite, les anges voient d'un simple regard un bien en sa vraie place dans l'ordre des êtres, ses connexions, ses dépendances, ses effets ; ils voient dans un principe ses conclusions, dans une conclusion les principes qui la commandent. Ils voient donc un moyen dans son rapport nécessaire à la fin ; ils ne peuvent pas ne pas le voir, et, simples comme ils sont, ils ne peuvent pas ne pas le vouloir tel. Ils ne peuvent selon une part de leur être le vouloir, et selon une autre ne le vouloir point : ils ne peuvent ainsi se diviser, ils sont tout simples. Comment ont-ils bien pu pécher, ne pouvant nullement se tromper ? Se voyant dans l'ordre des êtres, s'aimant dans cet ordre, s'aimant selon cet ordre, ils en aimaient l'auteur, la fin et l'exemplaire, ils aimaient Dieu plus qu'eux-mêmes d'un amour naturel. Comment ont-ils pu l'offenser ? Nous devons pousser la difficulté plus loin encore : ils avaient la grâce. Leur foi sans erreur les convainquait de tout ce que la révélation et la loi surnaturelle apportaient d'accroissement à leur perfection, et leur montrait qu'un seul acte libre de leur charité allait les précipiter dans leur béatitude, réaliser leur être au delà de cela même qu'ils concevaient, dans la vision de ce Dieu qu'ils aimaient déjà plus qu'eux-mêmes de tout le poids de leur nature. Davantage! Ils l'aimaient déjà d'un amour surnaturel, car la grâce divine leur faisait émettre un acte de cet amour. Je l'ai dit : il fallait que Dieu leur donnât la première impulsion, il leur fallait goûter dans l'amour sa bonté, comme ils connaissaient par la foi sa vérité. Acte d'amour divin qui n'était pas encore libre, que Dieu leur faisait émettre afin que ce fût en connaissance de cause qu'ensuite ils acceptassent ou non de l'aimer. Comment cette suprême condition de leur liberté les a-t-elle laissés libres ?

Le secret est justement dans la différence entre la nature et la surnature. Les anges ne pouvaient pas enfreindre l'ordre naturel des choses, ce que nous pouvons faire et faisons si souvent : ils étaient trop parfaits en cet ordre, ils en avaient la règle en eux-mêmes, dans la compréhension immédiate qu'ils en prenaient; d'une certaine façon, l'on peut même dire — nous reviendrons là-dessus — qu'ils en étaient la règle vivante. Mais que Dieu soit Père, Fils et Esprit, que la créature intelligente doive trouver son accomplissement éternel dans la vie intime de ces trois Personnes, et toutes les réalités qui ont rapport à ce mystère, tout cela est d'un ordre absolument autre que les réalités dont l'intelligence angélique avait la maîtrise. Tout cela la dépassait. Seule la grâce et non sa propre lumière pouvait les lui faire concevoir.

La difficulté était terrible pour de pures intelligences, car l'intelligence n'est pas une simple faculté de constatation, elle se *rend raison* de ce qu'elle connaît, et elle souffre comme d'une violence d'affirmer ce qu'elle ne comprend pas. Or les anges ne pouvaient pas plus que nous se *rendre raison* des mystères surnaturels. Ces mystères ne sont parfaitement intelligibles qu'à Dieu seul. Plus les anges comprenaient d'une manière aiguë les choses de la nature, plus ils risquaient de répugner à une connaissance qui les dépassait.

Représentons-nous la difficulté de leur foi. Le témoignage de Dieu leur était évident; ils ne pouvaient, comme tant d'entre nous, se flatter d'y échapper; ils avaient ainsi la certitude des mystères. Les démons l'ont gardée intacte. Mais la difficulté propre de la foi est celle qu'éprouve l'intelligence, faite pour voir, à affirmer ce qu'elle ne voit pas par elle-même. C'est cette difficulté secrète qui, chez nous, reflue sur le fait de la révélation et nous engage à la nier, pour nous dispenser de cette adhésion à l'incompréhensible. La difficulté existait pour l'ange à l'état pur, d'autant plus grande qu'il était plus parfait dans les degrés de l'intelligence. Et sans doute l'intelligence comprend que, créée comme elle l'est et donc limitée, elle ne puisse comprendre l'incréé, l'infini. Mais c'est là une conception théorique; autre chose est d'accepter effectivement d'être dépassé.

Plus l'image de Dieu est proche de l'original, plus elle risque de vouloir lui ressembler en ce qui lui est propre : le privilège d'*être par soi-même*, de *se suffire* absolument. L'intelligence, en se rendant raison des choses, en devient pour elle-même comme la cause. Elle enrage d'abdiquer ce pouvoir. Là est le point aigu de la difficulté. Dans la foi, on est mû. On est élevé par pure grâce. On est repris du dedans par Dieu, élevé dans un ordre où l'on est de toute manière *insuffisant*. Bien sûr, l'ange était trop intelligent pour ne pas admettre volontiers de dépendre de l'influx créateur, comme un ingénieur est heureux de faire tourner ses machines en se branchant sur le courant de la ville. Mais n'allait-il pas tenir à son initiative, tenir à demeurer le maître absolu de ses jugements et de ses choix? Sa perfection même dans l'ordre naturel lui faisait courir le risque de s'y enclore, lorsque l'élévation à une béatitude surnaturelle lui fut proposée. Ces pures intelligences, éprises de ce qui est nécessité pure, étaient tentées de se révolter contre un bon plaisir divin; ces pures libertés, de refuser un épanouissement qui ne fût pas dû à leur propre initiative; ces volontés intactes, de ne pas se désister sous l'action de la grâce, qui les sollicitait de se laisser retravailler du dedans. Il s'agissait pour elles de sortir de soi, de perdre pied, de se donner. La plus sublime des créatures ne peut entrer dans la famille divine que comme un tout petit enfant.

Acte prodigieux, celui de ces esprits qui en un instant se sont enclos dans leur perfection créée ou se sont ouverts à l'infini. Pas de tâtonnements, de réflexion ni de reprise. A nous, une vie entière est accordée. Sans doute, nous ressemblons aux anges en ce que nos actes suffisamment conscients engagent aussi notre éternité. Il nous faut, du reste, réveiller le sens de cette valeur infinie d'un seul acte : du moment qu'un esprit — ange ou homme — s'y engage vraiment, il engage cet esprit, et l'esprit ne meurt pas; cet acte engage une destinée éternelle! Mais nous ne savons trop quand nous allons jusque-là. Nous sommes tellement complexes et contradictoires que nous pensons le plus souvent n'accomplir que des actes imparfaits; dans cette complexité nous trouvons des ressources pour rétablir ce que nous avons commencé par gâcher, ou nous tombons après un admirable élan; nous sommes en tout cas tellement successifs que nous n'atteignons jamais toute notre taille spirituelle par un seul acte, nous sommes obligés au progrès. L'ange est un esprit simple. D'un seul mouvement il a dit définitivement : « Oui » ou « Non ».

Cette étonnante intelligence où il n'y a pas un recoin qui ne soit lumière et vouloir, a vu et s'est précipitée. Une fois pour toutes — car d'où pourrait lui venir le changement ? — elle s'est *fixée*.

Cet acte parfaitement simple a donc consisté pour le mauvais ange à vouloir sa perfection naturelle et elle seule. Il se dégage de nos réflexions qu'on ne peut le concevoir en lui-même autrement. C'est cela qu'on appelle l'orgueil. Je n'en ai pas prononcé le nom tout de suite, parce que c'est un nom trop familier, on croit le comprendre, alors qu'on l'édulcore. Voilà l'orgueil en sa pureté, le péché en ce qu'il a de plus irréductible, dégagé de tout ce dont nos troubles consciences l'enveloppent : volonté de n'être que soi, pour n'être que par soi et pour soi. Cet orgueil en sa parfaite essence ressemble étrangement à l'humilité, qui nous rend aussi contents de n'être que ce que nous sommes. Toute la différence tient en ce que l'orgueil est une suffisance, dans le refus du don divin, tandis que l'humilité est une joie de n'être que par ce don.

Le péché de l'ange, si simple en lui-même, est effroyablement riche de virtualités. Il implique le refus d'entrer dans l'ordre divin : « *Non serviam!* — Je ne veux pas servir ! Je me suffis ! Intelligence, je suis ma cause, et ma règle, et ma fin ! » On peut dire aussi que cet acte implique la haine de Dieu, du moins la haine de tout ce qui en Dieu contrarie la volonté de l'ange, car Dieu en lui-même, on ne peut le haïr en connaissance de cause ; si certains hommes croient avoir la haine de Dieu, c'est qu'ils ne savent ce qu'ils disent. Ce péché implique encore l'envie, l'envie de l'excellence divine qui passe infiniment l'ange en sa propre ligne d'esprit, et il se traduit ensuite par l'envie même des hommes, appelés à la béatitude. Ainsi du moins pouvons-nous entendre la parole de la *Sagesse* : « C'est par l'envie du diable que la mort est venue dans le monde. »

Ajoutons que cet acte implique même un désespoir transcendant. Personne, sans doute, ne fut plus apte que nos contemporains à comprendre cela. C'est l'un d'eux, Paul Valéry, qui l'a le mieux insinué. Le Serpent, selon lui, est animé d'un ressentiment contre l'être créé lui-même. Pour cette sublime pensée métaphysique, il ne devrait y avoir que Dieu, l'Être pur, l'Esprit infini ! Tout être est indigne de l'Être absolu, et le grand grief du démon contre Dieu est d'avoir fait des êtres, à commencer par lui, le plus beau des anges.

> *Il s'est fait celui qui dissipe*
> *En conséquence son principe,*
> *En étoiles son unité !*

34   Ce dépit désespéré est dans la logique fatale d'un être qui prétend se complaire en soi en refusant la joie de son Seigneur. Il est le virus secret qui empoisonne le monde depuis le péché. Il est certainement conscient et voulu dans une intelligence pure, comme le démon, qui est parfaitement intelligible à soi-même. Et c'est l'extrême pointe de sa malice.

QUE FONT MAINTENANT LES BONS ANGES

LAISSONS les anges pécheurs tomber sur eux-mêmes, en qui ils ont voulu se complaire, y trouver leur tourment et se corrompre toujours davantage pour avoir trop aimé leur propre excellence. Laissons-les tomber aux enfers, où nous savons qu'ils sont précipités, où nous entrevoyons qu'avec rage ils se précipitent eux-mêmes de tout l'élan de leur infaillible logique intime, comme au lieu qui leur convient (Pl. 8, 61, 63). Laissons enfin ces grands perturbateurs s'échapper de leur géhenne et, jusqu'au jugement suprême, exercer l'homme dans les limites que Dieu leur fixe et qui n'excèdent jamais les forces des tentés, invitant nos âmes à s'enclore elles aussi dans les choses naturelles et à mépriser le bon plaisir divin. Remontons dans la lumière de Dieu. Reposons-nous dans la joie d'un amour si parfaitement lucide, humble et pur. L'acte initial d'amour que Dieu fait produire à tous ses anges pour les éveiller à sa vie s'ouvre donc tout à coup en ceux qui demeurent bons, devient un acte libre, et les voilà qui s'illuminent d'un jour nouveau : la candeur de la lumière éternelle, tandis que les autres s'éteignent dans le refus. Les voilà qui accèdent à la contemplation béatifiante du Père, du Fils et de l'Esprit. Leur acte parfaitement libre les accorde pour l'éternité à Celui qui est liberté pure, leur amour à Celui qui est l'Amour même, leur don à la générosité infinie, et cet accord les fait participer du dedans à l'expansion de cet Amour. Ils deviennent les ministres des secrets divins ; ils participent aux jeux de la Sagesse incréée.

LES CÉLESTES HIÉRARCHIES

LA croyance chrétienne commune est qu'ils forment neuf « ordres » ou « chœurs » répartis en trois « hiérarchies » : les Séraphins, les Chérubins et les Trônes, les Dominations, les Vertus et les Puissances, les Principautés, les Archanges et les Anges. Les noms de ces « ordres » sont fournis par l'Écriture sainte, les uns dans un texte, d'autres dans un autre[1]. La combinaison en a varié selon les Pères des premiers siècles. Elle a été fixée telle qu'on vient de la lire par Denys, le pseudo-Aréopagite. En ce personnage mystérieux du V\u1d49 siècle, le moyen âge a cru voir le membre de l'Aréopage d'Athènes que saint Paul convertit. Un disciple immédiat de saint Paul, quelle autorité! Comme une erreur historique explique donc pour une part la diffusion de la doctrine, sans que l'Église ait engagé son infaillibilité à son sujet, on ne doit pas proprement parler de tradition et l'on peut garder la liberté de son jugement. Mais cette doctrine est au moins très vénérable. Elle est généralement enseignée dans l'Église. L'obscur instinct de la foi s'y complaît, comme on est heureux dans l'air natal.

Nous nous figurons, avec notre imagination grossière, les neuf ordres angéliques à la façon de catégories, comprenant des individus de même sorte. Il ne peut en être ainsi. « Si nous connaissions parfaitement les fonctions des anges et leurs différences, nous enseigne saint Thomas, nous saurions aussi que chaque ange a dans l'univers sa fonction et son rang propres, bien plus réellement que n'importe quelle étoile. »

Le sens que nous avons des réalités spirituelles rejoint la mention de ces divers « ordres » et « hiérarchies », et voici comment il les fait concevoir. L'office suprême de l'esprit est la pure contemplation. La plus haute des trois hiérarchies aurait assez à faire de plonger en Dieu. Justement Daniel nous parle « de myriades de myriades d'anges qui *se tiennent debout* » devant l'Ancien des Jours. Cependant la contemplation n'est pas close et stérile. Elle déborde. Les créatures en Dieu sont fraternelles. La première hiérarchie élève tout ce qui est au-dessous. L'action purifiante, l'illumination et l'attirance unitive descendent, « en émanations de splendeurs », comme dit Denys, des anges les plus sublimes sur leurs inférieurs. Nous comprenons que selon l'élévation d'une intelligence, elle peut contempler les raisons des choses en Dieu même, ou dans leurs causes universelles créées, ou

1. *I Thess.*, IV, 16; *Rom.*, VIII, 38; *I Cor.*, XV, 24; *Éph.*, I, 21; III, 10; VI, 12; *Col.*, I, 16; II, 10, 15; *I Petr.*, III, 22; *Jude*, 9.

seulement selon leur détermination aux effets particuliers. Ainsi entrevoyons-nous les fonctions des trois hiérarchies angéliques. Séraphins, chérubins et trônes remplissent le premier office : c'est le but même, la fin dernière des œuvres divines qu'ils considèrent directement en Dieu ; dominations, vertus et puissances s'occupent à disposer universellement ce qui doit se faire, elles sont en somme préposées au gouvernement de l'univers ; au-dessous d'elles, principautés, archanges et simples anges s'appliquent aux effets de ces conseils et de ces dispositions, à l'exécution même du gouvernement divin. Conception satisfaisante autant qu'on peut être satisfait dans le mystère : elle est une vue harmonieuse du ciel où règne l'harmonie, une organisation selon les lois de l'esprit de l'ordre des purs esprits.

Et plus précisément, les neuf « ordres », apercevrons-nous un peu ce qui les différencie ? Nous allons essayer, en nous aidant de leurs noms, de remonter les degrés que nous venons de descendre trois à trois.

L'Écriture nous a dit que les anges et les archanges accomplissent toutes sortes de missions dans l'univers. Leur nom même d'anges signifie *envoyés*. Les ambassades des archanges apparaissent comme plus importantes que celles des simples anges. Sans doute les principautés dirigent-elles l'exécution, chantres parmi ces esprits de la hiérarchie inférieure. Toute la création de nature et de grâce est comme un concert qui chante la gloire de Dieu, sous les inspirations du divin compositeur, annoncées aux créatures par les anges de cette hiérarchie. Le nom de « principautés » y semble indiquer une présidence. Saint Thomas pensait que Michel devait être l'une d'elles, plutôt qu'un « archange » au sens propre du mot, parce qu'il est opposé par Daniel au « *prince* du roi des Perses ». Les communautés humaines ou les hommes ayant une fonction publique importante seraient gardés par un archange ou une principauté. Newman a voulu caractériser brièvement chaque « ordre », en résumant les données plus ou moins traditionnelles que lui transmettaient les théologiens du XVIIe siècle Petau et Bail ; il attribue aux simples anges, comme les qualifiant le mieux, le « contentement » : ils sont contents d'être les derniers. Dans tout l'ordre angélique règne la joie d'être ce qu'on est, — quel repos ! Cette humilité caractérise au mieux les moindres. Je vois moins la physionomie spirituelle des archanges par ce qu'on nous en dit : imitation de la perfection de tous les autres ordres, absence de tout orgueil ou rivalité ; cela convient à tous les chœurs. Chez les principautés, on signale la simplicité de l'intention ; elle est en effet remarquable en qui dirige l'exécution des desseins d'un autre.

Nous balbutions. Mais nous sommes sûrs que nous ne nous tromperons pas en affirmant qu'il y a d'un ordre à l'autre des différences dans l'être bien plus énormes qu'entre les bestioles les plus infimes et les animaux supérieurs, et qu'elles vont en augmentant. L'impression d'abîmes, de gouffres, que nous éprouvons parfois en apercevant le ciel bleu entre les nuages, ce sont les nuages qui nous la donnent; il faut que les ordres angéliques eux-mêmes, en leur étagement tout spirituel, évoquent au regard de notre foi les profondeurs croissantes du paradis. La foi commune des chrétiens affirme que les cieux de la gloire sont bien plus vastes et beaux que les visibles. Des archanges aux principautés, et des principautés aux puissances, et de celles-ci aux vertus, et ainsi de suite, nous devons donc monter à des altitudes spirituelles qui croissent autant ou plus que matériellement augmentent les distances d'années de lumière, à mesure que le regard du télescope s'éloigne parmi les grandes nébuleuses spirales.

Les puissances, nous dit-on, sont toutes tendresse et douceur; la conviction des docteurs médiévaux est qu'elles matent les démons; ne vous semble-t-il pas conforme aux lois du monde chrétien que la malice soit contenue par la douceur, et que cette douceur soit le caractère essentiel de qui mérite par excellence le nom de « puissance »? Mais j'avoue ne pas bien distinguer en elles-mêmes, non plus que dans leurs fonctions, les puissances, les vertus et les dominations. Les descriptions prolixes de Denys ne nous font voir qu'un feu sublime où tout se brouille. Selon Newman, tandis que les puissances sont douceur et tendresse, les vertus sont courage et les dominations zèle. Je vous fais grâce d'autres essais qui ne nous satisfont pas davantage.

Est-ce que, dans la hiérarchie suprême, notre regard se fixera mieux? Sur les trônes, comme leur nom l'indique, Dieu semble siéger; ils sont tout soumission et résignation, — saint Albert le Grand nous dit : « quiétude dans la réception des décisions divines ». La tradition est unanime à caractériser les chérubins par leur science et les séraphins par l'amour. Ce dernier trait est beau : il est conforme à l'ordre divin que plus les intelligences sont hautes, plus en elles la ferveur l'emporte sur la lumière elle-même. Elles sont le plus conformes à Dieu, qui est Esprit, mais cet Esprit est Amour.

Plus haut que les plus hauts séraphins, nous voyons de nouveau avec certitude. La pupille de notre foi n'a pas même à s'écarquiller. Nous distinguons nettement deux personnes, oui : des personnes humaines de chair et de sang comme nous, en leur corps, un homme pris parmi nous, et dans ses mains et ses pieds les blessures toujours ouvertes des clous que nous y avons enfoncés, et auprès de lui sa très humble Mère.

Nous ne nous intéressons, comme les enfants, qu'à ce qui bouge. L'occupation des plus grands anges nous est mal concevable. Plus l'intelligence s'épure, plus il nous semble qu'elle doive être vide, parce que la nôtre n'est contente que dans la multitude; l'ennui nous vient, si nous nous fixons quelque peu sur une seule idée. En fait, les œuvres de Dieu, contemplées en Dieu même, à l'état naissant de pensées et de vouloirs divins, sont d'une plénitude bien plus riche qu'en leurs réalisations multiples. Aussi faut-il pour les scruter, pour s'en repaître et enivrer, une foule de grands anges plus innombrables que leurs moindres frères occupés à l'exécution même de ces vouloirs. Si l'on y réfléchit bien, une doctrine cohérente sur les anges, construite à partir de ce que l'on sait avec certitude de Dieu et des esprits, renverse en tout nos conceptions courantes, parce que celles-ci nous viennent de nos sens. Non seulement, à mesure que l'on s'éloigne de nos infimes affaires et que l'on approche de Dieu, plénitude d'être, de connaissance et d'amour, on doit augmenter les distances entre les degrés que représentent les ordres angéliques, mais on doit affirmer que les anges sont d'autant plus nombreux qu'ils sont plus admirables. Pourquoi les grands esprits parmi nous n'abondent-ils pas et les médiocres sont-ils foule? Parce que nous constituons le degré où l'esprit est immergé dans la matière, soumis à ses lois. Cette condition est aggravée par les désordres, effets de la faute. Mais dans le règne sans trouble des purs esprits, la splendeur augmente de toutes façons, plus on s'élève vers la toute splendeur. Certes, le moindre des êtres manifeste la bonté de Dieu et y trouve sa joie. Mais cette bonté du créateur est si prodigieuse qu'elle se plaît à éclater d'autant plus par le nombre qu'elle le fait mieux par la perfection. Vers le bas de l'échelle, parmi les plantes et les bêtes, cette merveilleuse profusion de la nature qui, selon le mot de La Fontaine, « se joue dans les animaux comme elle fait dans les fleurs », signifie l'impuissance des individus infimes à dire la perfection de Dieu. Ils se diversifient, grouillent et prolifèrent, et ainsi multiplient indéfiniment leurs ravissantes imperfections. Tout en haut, le nombre inimaginable des plus grands anges dit aussi l'impuissance d'une seule créature à exprimer la perfection divine, mais elle la dit d'une façon plus digne de Dieu, puisque chacune de ces créatures a beau l'exprimer d'une manière essentiellement autre et avec une perfection inouïe, cependant Dieu les lance dans l'existence avec plus de profusion que le sable des plages et que les étoiles!

Le prophète Daniel paraît insinuer quelque chose de cela en nous confiant qu'il a vu mille milliers *servant* l'Ancien des Jours, mais que ce sont des myriades de myriades qui *se tiennent* devant lui. Une haute tradition chrétienne, dont saint Thomas est à nos oreilles l'interprète, a cru trouver ainsi un fondement scripturaire à cette doctrine selon laquelle les esprits simples « assistants » sont plus nombreux que les « ministres » ou serviteurs, députés à l'exécution des décrets divins parmi les créatures. La première hiérarchie à elle seule l'emporterait sur les deux autres ensemble, comme la myriade sur le millier.

Et de même que la perfection croît à tous égards selon la proximité de Dieu, de même l'occupation devient plus purement contemplative, et plus elle est contemplative, plus elle est, si l'on ose dire, passionnante, plus enfin, tout oisive qu'elle paraît, elle est utile à l'univers. Les anges supérieurs ne sont chargés dans le monde d'aucune mission, mais la perfection est généreuse, la contemplation est source de vie, et parce que ces sublimes intelligences pénètrent des pensées et vouloirs qui sont créateurs, elles ne peuvent s'y absorber passivement, elles en reçoivent un élan vers les créatures. Elles se retournent vers leurs frères des hiérarchies inférieures, leur communiquent les secrets divins en les leur divisant, comme les oiseaux donnent à leurs petits la becquée, et elles confortent ces intelligences moindres pour les élever à entendre ces merveilles. La création n'ajoute rien au créateur; que peut-on ajouter à Dieu? On n'en dira sans doute pas de même de l'office rempli par les anges, par rapport à leur contemplation de Dieu; mais ils sont si près de la nature divine que leur activité ressemble à celle du créateur de bien plus près que la nôtre; illuminant leurs inférieurs, les confortant, ils ne sortent pas de la contemplation de Dieu, cette contemplation n'en est nullement diminuée ni ralentie, et cet office, grâce auquel l'univers est gouverné, leur est comme un jeu qui ne les distrait pas.

Quant aux esprits des derniers ordres, recevant des anges « assistants » les messages divins, que font-ils? Eux aussi contemplent Dieu en sa vie intime sans intermédiaire. Notre Seigneur nous le dit des anges gardiens. Chacun en reçoit béatitude, nous l'avons vu, selon son degré de nature et de gloire. Dans cette lumière dont jamais ils ne sortent, — car où peuvent-ils aller où Dieu ne soit? — ils ont à l'égard des créatures des ministères très variés. Ils remplissent des offices d'ordre cosmique, et nous devrons dire avec Philon que « les anges sont dans le monde ce que les colonnes sont aux grands édifices : ils le soutiennent et l'embellissent ». Mais notre troisième chapitre sera un meilleur lieu pour considérer cet aspect de l'activité angélique. Ils sont aussi les ministres des mystères divins; par exemple, ce sont eux qui ont formé la colombe ou les langues de feu sous l'apparence desquelles le Saint-Esprit s'est manifesté; le canon de la messe évoque l'ange du sacrifice que le prêtre supplie de porter l'hostie sainte au ciel; les bénédictions de l'Église appellent les anges en tous les lieux et sur tous les objets qu'elles sanctifient. Les anges illuminent encore les intelligences des hommes, agissent sur leurs sens et leur imagination, les confortent, et les récits de l'Écriture nous ont montré de quelles façons variées ils interviennent dans nos affaires ; leurs apparitions visibles sont comme des échantillons de leurs industries.

LES ANGES GARDIENS

CERTAINS anges sont préposés à la garde des hommes. Nous en sommes certains par l'Évangile. Un seul ange serait, certes, assez intelligent et vigilant pour assurer cet office auprès de plusieurs d'entre nous ; mais la croyance commune du peuple fidèle est que chacun de nous a son ange gardien. Il serait bien téméraire de le nier. Chaque homme a sa vocation particulière ; la dispensation affectueuse de la Providence, qui députe un ange pour veiller à sa réussite, se conforme à ce caractère tout personnel. Notre ange nous assiste dès notre naissance ; baptisés ou non, nous en avons un, car nous sommes tous en puissance des enfants de Dieu, dont notre Père des cieux prend soin.

Son action est fort vaste. Par une prière très aimée dans l'Église, nous lui demandons chaque jour de nous « garder, illuminer, régir et gouverner ». La liturgie prie les anges habitant dans nos demeures de nous « garder, réconforter, protéger, visiter et défendre ». Qu'est-ce à dire ?

Leur « garde », leur « protection », leur « défense » s'exerce d'abord à l'égard des démons. Nous traversons un monde infesté. Le diable a été assez malin, c'est le cas de le dire, pour nous rendre cette idée comique. Au vrai, ce monde est assujetti aux puissances mauvaises ; l'un des offices des anges qui régissent les éléments est d'en compenser l'action ; l'Église exorcise les lieux, les objets, les corps. De mauvais esprits parcourent les airs. Ils s'en prennent surtout aux âmes. La lutte serait inégale si nous ne comptions sur des alliés de leur nature. Hermas, des Pères grecs et des auteurs médiévaux en Occident se figuraient que chacun de nous avait deux anges attitrés, un mauvais pour le tenter, un bon pour le secourir (Pl. 60). On ne trouve rien de tel dans l'Écriture, et l'Église en son enseignement ordinaire semble y contredire. La réalité n'est pas si sombre. Dieu n'a pas chargé un ange de nous éprouver, il n'a pas mis un ordre si triste dans le monde du désordre ; il permet seulement que les démons nous exercent, mais sa volonté positive est toute bonne : elle nous confie à la garde d'un bon ange qui pare en nous les attaques et les subterfuges de cette engeance.

Sur ce sujet, on sera certainement heureux de lire quelques lignes qui me semblent belles et que j'ai recopiées comme une prière à l'ange de leur auteur, alors prisonnier en Allemagne. Le Père Congar écrit : « Les mauvais anges, avec l'acuité de vision des purs esprits, connaissent beaucoup mieux que nous les grands courants spirituels, les ressorts de l'âme humaine, la pente générale des affaires, le nœud secret de notre temps; ils inspirent et guident la lutte contre le royaume de Dieu sur la terre. La véritable lutte dans l'Église ne s'exerce pas seulement ni principalement contre les séductions de la chair, mais contre celles de l'esprit. Il faut à tout prix sauver la chasteté des âmes, la pureté de la doctrine pour la pureté de la charité; aussi l'Église demande-t-elle « d'éviter d'être touchée par les mauvais anges, afin de suivre DIEU SEUL, avec une âme très chaste » (collecte du XVIIe dimanche après la Pentecôte).

Notre ange ne fait pas que nous défendre, il nous « illumine ». Dieu peut nous donner directement de bonnes inspirations, mais d'ordinaire il nous les envoie par notre ange. Cet ami nous glisse une pensée adaptée à notre tournure d'esprit; il agit surtout sur notre imagination, puisqu'elle nous meut bien plus souvent que notre esprit. Il ne peut rien sur notre volonté elle-même. Ni bon ange ni démon n'est en mesure d'attenter à notre liberté radicale : âmes faites pour l'éternité, notre vouloir ne dépend immédiatement que de Dieu et de nous. Mais notre sensibilité, mais notre intelligence elle-même sont impressionnées par les créatures, et notre vouloir se laisse malheureusement capter. La lumière qui éclaire tout homme venant en ce monde est là : ce sens de la vérité qui anime l'esprit le plus faux, et cette inclination foncière au bien, qui subsiste dans le cœur le plus perverti. Mais les passions et mille désordres font errer cet esprit, quand il doit juger des buts particuliers à poursuivre, des moyens de les atteindre; ils troublent ce cœur dans ses élans. Dans l'action réelle, les principes, ah! les principes qui devraient la commander et sur lesquels, au fond, nous sommes d'accord, ils sont bien lointains et bien vagues. Dieu nous a donc confiés à un représentant des principes, un vivant, qui est l'intelligence même du bien et qui est psychologue. Il nous rend convaincants les principes. Il compense nos déviations, en nous suggérant, sans avoir l'air de rien, ceci ou cela. Tant pis pour nous si nous n'en profitons pas. Ces souvenirs qu'il réveille en notre mémoire, ces rêves qu'il nous fait faire, ces tristesses ou ces joies qu'il insinue, ces dégoûts et ces enthousiasmes, ces bons conseils qui nous tireraient d'affaire, il a mille ressources. Il nous connaît, il nous traite à notre mode. Il ne se lassera pas, jusqu'au dernier instant, où peut-être nous l'écouterons enfin, et ses opportunes lumières nous décideront pour l'éternité bienheureuse.

Certains violents éprouvent son action qui les contrecarre, qui les tourmente. Le fameux sonnet de Baudelaire, inspiré par l'*Héliodore* de Delacroix (pl. 150), exprime une réalité de la vie spirituelle :

> *Un ange furieux fond du ciel comme un aigle,*
> *Du mécréant saisit à pleins poings les cheveux,*
> *Et dit, le secouant : « Tu connaîtras la règle,*
> *Car je suis ton bon ange, entends-tu, je le veux ! »*

Charles Péguy a fait à Joseph Lotte cette confidence : « J'ai un ange gardien incroyable ! Il est encore plus malin que moi, mon vieux ! Je suis gardé. Je ne puis échapper à sa garde. Trois fois, je l'ai senti m'empoigner, m'arracher à des volontés, à des actes médités, préparés, voulus. Il a des trucs incroyables ! » A l'ordinaire, il est plus discret, mais non moins efficace. Il nous rend des services. Riez, si vous voulez. Mieux vaudrait que, vivant en confiance avec cet ami divin, vous fussiez à même de constater ses attentions. Passe pour l'autosuggestion, quand c'est à lui qu'on s'en remet pour être tiré du sommeil à temps, parce que la sonnerie du réveil est détraquée. Mais la fréquence et la précision des rencontres qu'il arrange, quand on l'en prie et qu'on travaille pour la gloire de Dieu !... Combien d'entre nous, qui tâchent de vivre en enfants de Dieu, peuvent témoigner de ce qu'il combine lorsque nous l'envoyons en fourrier devant nous ! Les mauvais pas dont il nous tire et les affaires qu'il arrange doivent nous donner une idée de son service spirituel, qui nous importe bien davantage, à lui et à nous.

Un des services qu'ils nous rendent est « d'offrir nos prières à Dieu ». C'est l'expression traditionnelle, et l'on a vu qu'elle vient de l'Écriture : Raphaël « présentait à Dieu » les prières de Tobie. Saint Jean a vu un ange faire monter vers Dieu d'un encensoir qu'il tenait en sa main une fumée d'encens qui était les prières des âmes saintes. Que peut-on entendre par là ? Le sens le plus profond, le plus réel, nous est difficile à comprendre. C'est assurément une intercession, l'accroissement mystérieux de pouvoir que reçoit notre prière en montant à Dieu par l'ordre des purs esprits, comme inversement l'action divine est mieux proportionnée à notre faiblesse en descendant par ces ministres inférieurs. A un point de vue psychologique, Bossuet, dans son admirable sermon sur les Anges gardiens, fait appel à l'expérience de la difficulté que présente pour nous la prière. « Quelle peine d'élever à Dieu vos esprits : au milieu de quelles tempêtes formez-vous vos vœux! Combien de vaines imaginations, combien de pensées vagues et désordonnées, combien de soins temporels qui se jettent continuellement à la traverse pour en interrompre le cours! Étant donc ainsi empêchés, croyez-vous qu'elles puissent s'élever au ciel et que cette prière faible et languissante, qui, parmi tant d'embarras qui l'arrêtent, à peine a pu sortir de vos cœurs, ait la force de percer les nues et de pénétrer jusqu'au haut des cieux? » Alors l'ange prête à ces faibles prières « ses ailes pour les élever, sa force pour les soutenir, sa ferveur pour les animer ».

En tout ce qu'il fait pour nous, notre ange ne « quitte » pas le ciel pour la terre. Il a le ciel avec lui, ne cessant jamais de jouir de la vision béatifique. Son ministère ne gêne en rien cette vision, puisque c'est un ministère d'ordre spirituel et que cette vision même le règle. En nous servant, il ne s'abaisse pas : c'est Dieu qu'il sert en nous, car « qui adhère au Seigneur, dit saint Paul, est un même esprit avec lui ». Tout un courant traditionnel nous apporte même cette admirable pensée, que le ciel où notre ange contemple la face du Père, c'est notre âme, dans laquelle habite la Trinité sainte, si nous sommes de ces petits ou de ceux qui leur ressemblent.

LUEURS SUR LA PSYCHOLOGIE DES ANGES

AYANT tenté de voir ce que font ces esprits, il faudrait arriver maintenant à nous faire une idée de la manière dont ils fonctionnent. Je serai encore plus bref, me limitant à ce qui me paraît certain. Le sujet serait trop difficile à approfondir. Il faut ici encore retourner nos conceptions. Au lieu d'avoir affaire à des intelligences qui dépendent, comme les nôtres, des sens, il faut hardiment nous figurer de purs esprits, dont la connaissance commande les choses sensibles. Pour elles, le platonisme et son innéisme sont vrais. La tentation des grands philosophes, qui comprennent ce que c'est que l'esprit et qui oublient les conditions dans lesquelles il se trouve chez l'homme, c'est précisément l'angélisme. Nous sommes des esprits incarnés, nous acquérons des choses sensibles nos notions. Cette acquisition est soumise aux vicissitudes de la matière, elle est progressive. Mais un pur esprit ne reçoit que de l'intelligence suprême, de Dieu, et des esprits qui lui sont supérieurs. Oui, l'esprit, de sa nature, est roi. Avant que Dieu créât les choses en leur existence concrète, il les a créées sous forme d'idées dans les intelligences angéliques. Dès son premier instant, l'ange possède, infuses, innées, les idées des choses qu'il avait, qu'il aura à connaître. Cela ne veut pas dire qu'il les connut effectivement dès le principe : il lui reste, il lui restera, à les considérer en temps utile et à appliquer sa connaissance aux objets nouveaux. Un pur esprit débute par la plénitude.

Dans cette souveraineté de l'intelligence qui ne dépend pas des choses, mais au contraire les choses dépendent d'elles, est le principe qui commande toute la psychologie angélique.

Dieu fait part aux anges des raisons sous lesquelles il embrasse les êtres et en vertu desquelles il les crée. Non certes qu'elles puissent garder, en ces esprits qui ont leur limite, si purs soient-ils, la simplicité parfaite qu'elles ont dans l'intelligence divine. Non pas que l'ange puisse, comme Dieu, envisager d'un seul regard la multitude des choses que cette unique raison suscite dans l'existence; la puissance angélique n'est pas infinie, ses points de vue sont partiels. Créature, il doit comme nous sauter de l'un à l'autre. Mais sa connaissance ressemble à celle de Dieu, en ce que, dans chacun de ses concepts, toutes les natures particulières que ce concept embrasse lui apparaissent d'une manière claire et distincte. Tandis que nous, plus nos idées sont universelles, plus les individus qu'elles représentent y sont confus et vagues. Lorsque nous pensons à l'humanité, nous ne voyons plus les hommes. Ne rêvons-nous pas d'une connaissance et d'un amour qui les envelopperaient tous ensemble et qui, dans le même acte, pourraient se donner tout à chacun? Cette connaissance et cet amour existent, et c'est Dieu lui-même. A des degrés moindres, selon les hiérarchies angéliques, se réalise cet admirable pouvoir, pour autant que l'ange est proche de Dieu et semblable à lui, participant de sa nature, qui est Esprit.

L'idéalisme, vrai des anges à la façon que je viens de dire, ne l'est-il pas aussi en ce que les idées des anges, selon un mode qu'il est difficile de préciser, engendrent leurs objets? Il semble bien. Au sens propre du mot, Dieu seul est créateur. Il faut avoir la toute-puissance pour tirer un être du néant, quel qu'il soit : infime ou énorme, la masse ne fait rien à l'affaire, il y faut un pouvoir absolu. Mais il semble qu'il soit de la nature de l'esprit — du moment que cet esprit n'est pas dans la dépendance des sens — d'être pleinement *raison* des choses, de l'être à ce point que les anges soient de profondes *causes* de ces choses. Sans doute faut-il, pour que les choses soient, que les anges les pensent. Je veux dire que Dieu, communiquant aux purs esprits son pouvoir de penser souverainement les êtres, avant même que ces êtres existent, il paraît normal qu'il fasse dans la même mesure participer leur pensée à l'efficacité de la sienne. Ainsi, nous concevons mieux, ou moins mal, le rôle cosmique des anges.

Dans le Verbe divin, « où résident, ce sont les mots de saint Augustin, éternellement immuables, les causes et les raisons essentielles de l'existence des êtres », les anges contemplent ces êtres comme dans le clair soleil du matin. O matin éternel des choses, avant les choses ! Fraîcheur du regard angélique ! « Dans le Verbe, dit saint Jean selon la leçon chère à tous les contemplatifs, les choses sont vie » ; dans la durée, les plus vivants des vivants sont comme s'ils se traînaient, en comparaison de l'acte fulgurant qu'ils sont dans le Verbe éternel. Les anges les y contemplent, avec une vivacité ravie. Lorsque ensuite ils se retournent vers ces êtres eux-mêmes, c'est comme la vue qu'on a lorsque le soleil a décliné ; elle est chargée de l'expérience des choses qu'on a regardées pendant le jour, mais elle est terne et commence à devenir confuse. Il y a, remarque encore saint Augustin, entre la connaissance matinale et celle du soir la différence qui existe entre l'art et l'ouvrage. « Toutefois, ajoute-t-il, quand on rapporte ces ouvrages à la louange et à la gloire du créateur, il se fait comme une aube matinale dans l'esprit qui les contemple. »

Cette vision que les anges peuvent avoir directement des choses créées, moins parfaite que la vision en Dieu même, préciserons-nous comment ils l'ont ? Ce n'est pas, comme la nôtre, en des images de ces choses ; ils n'ont pas de sens pour recevoir des impressions. C'est en leur propre essence, à eux, les anges. Nous autres sommes à l'aise dans la réflexion sur la nature des choses sensibles, extrayant de cet univers physique dont nous faisons partie ce qu'il contient d'intelligible ; nous tâchons de répondre aux questions de l'enfant qui demande sans cesse, en voyant ce qui frappe ses yeux : « Qu'est-ce ?... Pourquoi ?... Comment ?... » Et c'est dans les sciences naturelles et dans la technique que nous réussissons le mieux ; nous y ramenons tout, elles commandent tout. Nous avons bien de la peine à nous élever aux idées pures, et encore les concevons-nous selon le mode imaginatif des choses sensibles, dans l'espace, dans le temps, au moyen d'exemples matériels auxquels nous accrochons notre pensée, qui sans cela nous fuit. Le rôle que remplit ainsi pour notre intelligence la nature sensible, pour l'ange, c'est sa propre nature qui le joue. Ce qui est le plus immédiatement intelligible à une pure intelligence, c'est elle-même. Aussi, tout le reste, est-ce en lui qu'il le voit. L'ange est à lui-même un monde, ce que nous est l'univers !

Il peut tout connaître de ce que régissent les lois universelles, qui sont en lui comme les raisons des êtres. Ainsi connaît-il d'une manière dominatrice les anges qui lui sont inférieurs, les hommes, les bêtes, les créatures matérielles. Il peut connaître tous ces êtres, car tous, même les plus brutes, sont à fond d'idée.

Mais aussi subit-il les limites des lois universelles. Il y a du hasard, les chaînes des causes interfèrent de manières imprévisibles, il y a surtout de la liberté. L'ange ne peut naturellement connaître par lui-même les futurs contingents et les secrets des cœurs. Il les conjecture d'après leurs causes et leurs signes, — à notre façon, quoique selon un mode plus parfait : comprenant plus de causes, embrassant d'un simple regard plus de signes. A la prévision de Dieu seul n'échappent pas ces réalités que la possession des lois ne suffit pas à faire découvrir avec certitude. L'ange, pour les connaître, a besoin que Dieu les lui révèle.

De même, il ne peut connaître sans révélation les mystères de la grâce. En cela, il se passe même quelque chose de bien remarquable : il peut recevoir de nous. Saint Paul, inspiré de l'Esprit saint, écrit aux Éphésiens que les principautés et les puissances qui sont dans les cieux ont connu *par l'Église* la sagesse de Dieu dans l'admirable économie du mystère chrétien. Non certes que l'essentiel des mystères ne leur eût été révélé dès leur épreuve initiale, non qu'ils ignorassent un plan dont ils étaient les ministres, mais si gratuit est le surnaturel que la réalisation en est riche d'une splendeur toute nouvelle, d'une splendeur que le seul dessein ne comportait pas pour le regard angélique. Lorsqu'un ange contemple sur notre triste terre, dans notre Église militante, les dons mêmes de Dieu, lorsqu'il les y apporte, c'est pour lui comme l'illumination d'une connaissance matinale! Estimerons-nous assez haut les œuvres de la grâce ?

Le mode intuitif et parfait de la connaissance angélique, quel qu'en soit l'objet, nous émerveille. Un pur esprit est tout simple. Il est tout entier en chacun de ses actes. Il ignore nos relâchés, nos négligences. Il est l'intégrité même et la plénitude. Nos lumières sont brouillées et diffuses, et combien fumeuses. Au contraire, les actes de ce parfait esprit sont comme les jets d'un projecteur puissant qui illumine tout à coup une part du réel, tantôt dans un sens, tantôt dans un autre, et toujours en donnant toute son intensité.

Il en va de même de leur amour, et de même de leur action. Ils ne peuvent se donner à moitié, il n'y a nul conflit en eux. Ils appliquent à volonté toute leur vertu à telle ou telle tâche, ici ou là, et c'est cela que l'on appelle leur présence en tel ou tel lieu. Ils peuvent à volonté sauter, pour ainsi dire, d'un point à un autre, sans passer par le milieu, ou toucher les points intermédiaires.

Ces déplacements ne se font pas en un instant unique, mais dans une durée, que nous devons nous représenter toute spirituelle. Notre temps à nous est la mesure des mouvements corporels; ainsi notre jour de vingt-quatre heures est la durée d'un des tours que fait la Terre sur elle-même. Les anges n'étant point corporels, leur durée ne peut être de cette sorte. Lorsqu'ils agissent dans notre monde, cette action, de notre côté, arrive à une date de notre histoire temporelle, comme l'apparition de Gabriel à Marie se place au début de l'ère chrétienne. Mais l'histoire de l'ange lui-même est une succession d'actes spirituels. Newman a exprimé cela d'une manière bien suggestive dans le *Songe de Gérontius* :

Les intervalles en leur succession
Sont uniquement mesurés par la pensée vivante,
Et grandissent ou diminuent avec son intensité.

— Selon — veut-il dire — les divers degrés d'intelligence angéliques —

Et le temps n'est pas une propriété commune

— commune aux mouvements corporels, qui tous, quels qu'ils soient, se règlent les uns les autres.

Mais ce qui est long est court, ce qui est rapide est lent,
Ce qui est proche est lointain, selon la façon dont il est reçu et saisi
Par cet esprit ou par tel autre, et chacun
Est le régulateur de sa propre chronologie.
Et la mémoire manque de ces points de repère naturels
Que sont les années, les siècles, les périodes.

Si bien que l'histoire de deux anges diffère encore plus que celle de deux hommes.

Mais ces durées diverses, et que l'on dirait intermittentes, étant successions d'actes, ces durées dont la diversité tient à la différence vraiment essentielle qu'il y a entre deux anges, sont réglées les unes sur les autres, et toutes le sont par l'éternité divine. Ce sera un de nos émerveillements au ciel d'apprendre, selon la capacité de nos âmes, quelque chose de cette multiple histoire. Il nous faut, pour l'instant, achever de dire ce que Dieu nous a déjà révélé, et c'est malheureusement peu de chose. Peu de mots y suffiront.

LA CONSOMMATION DES TEMPS

TOUS les anges, nous dit l'Écriture, sont « des esprits au service », occupés du grand ouvrage qu'est l'avènement du règne divin. Dans le monde, auquel ils président, « tout est pour les élus ». Mais leur gouvernement sur ce monde rencontre opposition.

Le monde est « assujetti à la vanité »; davantage! il l'est aux mauvais anges. Satan est « le Prince de ce monde », qui est tout entier « concupiscence des yeux, concupiscence de la chair et orgueil de la vie ». Dans des cataclysmes aveugles, dans les catastrophes auxquelles nous ne comprenons rien, dans les remuements des peuples et toutes les ruines, les anges voient les effets de la lutte que leur livre et que nous livre l'antique Serpent. Ce sont les chocs de ses soubresauts. Rage impuissante! Il est vaincu, c'est fait! Le Christ est triomphant. Les anges l'ont vu s'élever à travers tous leurs chœurs. Ils en ont ressenti cet émoi que leur cause toujours l'accomplissement des œuvres divines, parce qu'elles passent la compréhension qu'ils en pouvaient avoir. Leur cri est allé jusqu'à l'Église, qui le garde en sa profonde mémoire, qui croit le reconnaître dans la question d'Isaïe : « Quel est celui-ci qui vient d'Édom, les vêtements rouges de son sang ? »; et dans les exclamations de David : « Quel est ce roi de gloire ? Yahweh fort et puissant, Yahweh puissant dans les combats. Portes, élevez vos linteaux; élevez-vous, portes éternelles ! Que le roi de gloire fasse son entrée. Quel est-il, ce roi de gloire ? » Bientôt après, ils ont reçu pour reine la plus humble des femmes de la terre, et dans ce couronnement de la toute pureté, de la toute miséricorde, de la toute tendresse, que cette terre lamentable a pu donner au ciel, ils ont compris jusqu'où allait la victoire, jusqu'à quel extrême de douceur. Les cieux distillent la rosée.

Nos larmes, notre sang ne doivent pas nous tromper. La férocité des hommes peut croître, la fureur de l'enfer se déchaîner, la victoire est acquise, le moindre soupir d'un cœur pur est plus puissant que la souffrance ou que la mort. Les siècles peuvent s'attarder, nos amis du ciel nous murmurent par la bouche du vieux saint Pierre : « Bien-aimés, mille ans sont comme un jour ! » Nous désespérons parce que le mal nous paraît s'étendre; eux voient dans notre lutte l'occasion pour nous d'un plus grand amour. Ils font éclater de joie le ciel pour un pécheur qui se repent. Ils admirent et activent le travail qui enfante, selon les lois de la passion et de la croix, le corps total du Christ, les cieux nouveaux, la terre nouvelle, qu'ils préparent aux élus. A cette croix du Christ, qui ne les a pas rachetés, puisqu'ils n'avaient pas besoin de salut, mais dont ils sont tributaires parce qu'ils lui doivent leur chef, ils puisent les grâces dont ils sont auprès de nous les ministres, pour nous établir dans la joie indéfectible.

Sans cesse la terre leur envoie des élus, ils vont à leur rencontre. Peut-être les introduisent-ils déjà aux places dévastées dans leurs chœurs par la trahison des rebelles. Le peintre angélique a évoqué, plusieurs fois (voy. notamment pl. 26, 27), cet accueil affectueux dans les prairies du matin éternel. Il est curieux que les peintres n'aient pas — je hasarderai plutôt, car ma science est courte, qu'ils aient si rarement — représenté les hommes fixés parmi les anges, aux degrés divers des hiérarchies. C'est une croyance commune de l'Église que les saints sont mêlés aux anges, dans leurs rangs. Non pas que notre nature doive être changée en celle des anges! Non que nous soyons capables de remplir leurs fonctions! Mais un homme peut recevoir une grâce qui le rende, dans l'amitié divine, l'égal des plus grands anges et le supérieur des autres. La croyance traditionnelle est nette.

Au dernier jour du monde apparaîtra dans notre ciel le signe du Fils de l'Homme, c'est-à-dire la croix.

« Le Fils de l'Homme viendra sur les nuées avec une grande puissance et une grande majesté. Et il enverra ses anges avec une trompette retentissante, et ils rassembleront les élus des quatre vents de la terre d'une extrémité du ciel à l'autre. » Ainsi s'exprime Notre Seigneur en saint Matthieu.

A l'appel des anges, les morts ressusciteront; c'est-à-dire que les âmes recouvreront leurs corps. Elles en recevront, selon qu'elles seront élues ou damnées, un surcroît de délices ou de peines, comme c'est dans leur corps et par lui qu'elles auront, durant leur vie mortelle, mérité ces tourments ou ces joies. Ce sont les anges qui « sépareront les uns d'avec les autres, comme le pasteur sépare les brebis d'avec les boucs ». Le grand thème gothique de saint Michel pesant les âmes dans une balance n'est pas scripturaire; il vient du plus profond de l'antique Égypte : Anubis tenait la balance, Osiris présidait au jugement. Il vient aussi de la Grèce, où Mercure pesait en présence d'Apollon. Il condense en une image frappante l'idée d'un jugement équitable. Mais il est trop simple. *Tous* les anges, et *tous* les saints contribueront au jugement, et ils y seront à la fois comme juges et comme jugés. Dans une conflagration générale des éléments, qui fera apparaître les cieux nouveaux et la terre nouvelle, adaptés à l'état glorieux des élus, tous prendront leur place définitive. Comme, au cours de l'histoire universelle, se seront exercées une multitude d'influences réciproques, bonnes ou mauvaises, il faudra que tous ces comptes soient enfin réglés ensemble et pour toujours. Chacun aura ses explications à fournir à tous, et tous à chacun, dans la lumière sans équivoque. « Rien ne demeurera caché. »

Le « jugement particulier », qu'aura déjà subi chaque âme au sortir de la vie périssable, aura décidé de son sort éternel ; c'est à lui que conviendrait le mieux l'image de la balance avec ses deux plateaux, celui du bien et celui du mal. Mais le sens du jugement dernier sera tout autre : il sera la grande instauration générale de l'ordre. Aussi comprenons-nous le sens profond de la question que saint Paul pose aux Corinthiens : « Ne savez-vous pas que les saints jugeront le monde ? » C'est-à-dire que ces membres mystiques du Christ participeront tous ensemble au pouvoir royal de leur chef. Et saint Paul insiste : « Ne savez-vous pas que nous jugerons les anges ? » Les mauvais pour sûr, condamnés définitivement, et nous aurons la joie, nous qui aurons triomphé en cette vie de leurs tentations, de les réduire tout à fait à l'impuissance. Mais il semble bien que saint Paul parle de tous les anges, y compris des bons, comme Isaïe, qui avait prophétisé du jugement dernier : « En ce jour-là, Yahweh visitera dans les hauteurs l'armée d'en haut. » Comment entendre cela ? Il ne peut être question que d'un jugement de louange, de gratitude. Nous verrons mieux, dans le triomphe complet de la vérité, l'action bienfaisante des anges, nous lui rendrons justice, nous la glorifierons avec le souverain Juge.

Alors, en communion avec l'univers qui nous sera enfin un paradis, dans la lumière divine, nous goûterons avec les anges « la glorieuse liberté des enfants de Dieu ».

LES ANGES ET LA BEAUTÉ
DU MONDE ET DE LA VIE

QUE pensez-vous de ces petites réflexions de Montesquieu ? « Je disais qu'il était très naturel de croire qu'il y avait des intelligences supérieures à nous : car en supposant la chaîne des créatures que nous connaissons et les différents degrés d'intelligence, depuis l'huître jusqu'à nous, si nous faisions le dernier chaînon, cela serait la chose la plus extraordinaire, et il y aurait toujours à parier deux, trois, quatre mille ou millions contre un que cela ne serait pas, et que, parmi les créatures, ce fût nous qui eussions la première place et que nous fussions la fin du chaînon. Il n'y a point d'être intermédiaire entre nous et l'huître qui ne pût raisonner comme nous...

« M. de Fontenelle a là-dessus une très jolie idée. Il dit qu'il peut être que les intelligences qui ont donné occasion à toutes les histoires de communication avec les êtres inconnus ne peuvent pas vivre longtemps dans notre globe, et qu'il en est comme des plongeurs qui peuvent aller dans la mer et ne peuvent pas vivre dans la mer. Ainsi la communication avec les esprits aériens, par exemple, aura été courte ; elle aura été rare ; mais elle aura été faite quelquefois. »

Oui, qu'en pensez-vous ? J'espère que, le premier divertissement passé, vous reconnaissez la fausse profondeur des beaux esprits de salon. Le vrai philosophe constate la différence radicale de l'intelligence humaine et de ce qu'on appelle l' « intelligence » de l'huître ou du singe le plus développé. Cette « intelligence » de la bête n'est que le pouvoir de remarquer certains caractères particuliers des choses et de les enchaîner partiellement. La nôtre a beau être gênée par les vices du corps et de tout l'organisme psychique dont elle dépend en son fonctionnement, elle a une ouverture infinie, elle travaille en vertu de principes universels. Elle peut être offusquée au point que telle bête paraisse plus « intelligente » que tel homme. Même dans les cas les plus extrêmes, si pâle et fumeuse que soit la lueur de l'esprit, le vrai philosophe la voit au sommet de tout. Comprendre par sa science les êtres auxquels son corps l'unit, par son art les achever, par son culte les offrir à leur créateur, il n'y a rien de plus grand. L'erreur en ce qu'il conçoit, la faute et la laideur en ce qu'il fait, lui sont accidentelles. Où est l'esprit, la chaîne des êtres s'accroche à un maillon tout nouveau, qui semble tenir directement à Dieu lui-même.

Eh bien, non ! Nous ne sommes pas les créatures supérieures. Nous sommes les derniers des esprits. Nous ne sommes pas seulement microcosmes : synthèses du monde minéral, végétal, animal, nous sommes points de jonction entre l'univers corporel et tout un univers d'esprits.

La pensée de Montesquieu deviendrait profonde si, au lieu de badiner entre l'huître et l'homme, elle réfléchissait sur l'étrange condition de l'intelligence humaine. Cette intelligence est à la fois reine et esclave. Ses idées universelles d'Être, de Vérité, de Bonté, de Beauté, les principes engendreurs de toutes ses pensées, cela ne lui vient pas du monde extérieur. Elle les apporte avec soi. Par eux, elle échappe au monde ; elle est infiniment plus grande que lui, et, même écrasée, elle le domine. Mais voilà qu'en son fonctionnement elle dépend du monde. Décomptez tous les désordres accidentels d'oubli, d'erreur, de faiblesse, imaginez une intelligence humaine puissante et maîtresse de ses moyens, il restera toujours que cet esprit incarné tire des sens les images auxquelles il lui faut s'appuyer. Nous ne soutenons pas notre pensée, nous ne la mettons pas au point, sans gestes, sans écriture, sans parole, au moins intérieure. En quoi nous sommes tributaires de nos sens. Que conclure de là ? Rien de plus, sans doute, qu'une forte présomption que cet esprit n'est pas le sommet du monde. Parions-le « deux, trois, quatre mille ou millions pour un », ne le parions plus comme Montesquieu, avec l'ironie d'un empiriste, mais en vertu des exigences de l'esprit. Seulement, il me semble que, sans la révélation, par laquelle nous savons qu'il y a effectivement des anges, nous ne ferions rien de plus qu'un pari. Nous n'aurions pas de l'existence des purs esprits une preuve certaine comme celles qui nous font affirmer Dieu. Dieu n'était pas obligé de faire le meilleur des mondes, ni le plus beau. La révélation des anges nous assure que la beauté de l'œuvre divine passe ce que nous en pouvions désirer et pressentir. Et nous sommes au centre de l'harmonie.

Comment tant d'âmes chrétiennes peuvent-elles se montrer si mesquines, ratatinées dans le souci de leur petite histoire individuelle! La foi aux anges devrait rendre impossible leur « spiritualité » sans horizon. « Je n'ai qu'une âme et je dois la sauver. » Lorsque, en chantant cela, ces fidèles éprouvent un élan sincère, ils s'admirent, tant ils ont de peine à se dégager de leurs soucis sordides. Ils ne dépassent pas leur intérêt. La vie leur est gâtée par des devoirs que le pion divin leur impose, moyennant quoi ils peuvent un peu s'amuser maintenant et ne seront pas éternellement en pénitence. Ils louchent avec dépit vers ce monde qui les tente. Ils se replient avec chagrin en leur cœur, pour inventorier leurs mérites et se persuader qu'ils ne furent pas aussi méprisables que leur conscience le leur souffle. Ah! respirons vers les libres espaces du paradis!

Les anges ouvrent toutes nos fenêtres. Ils nous mettent dehors. Ils nous font voir notre petite affaire dans le grand plan du salut. Nous baignons dans un immense milieu divin, qui nous soutient, nous porte, nous pousse, nous élève, nous pénètre, nous nourrit; un milieu de vivants affectueux. Au principe de tout est une générosité infinie : Dieu est à lui-même une famille, et il appelle les esprits à l'intimité de son foyer. Sa vie circule entre tous ses enfants, du Fils par nature aux petits que nous sommes; et non seulement nous sommes tirés par le Christ, épaulés par la foule des saints, nos frères, mais tirés encore par cette foule plus nombreuse de frères plus grands et plus merveilleux, tous les anges. Nous ne sommes pas seuls! « Vous vous êtes approchés, lisons-nous dans l'Épître aux Hébreux, de la montagne de Sion, de la ville du Dieu vivant, de la Jérusalem céleste, d'une troupe innombrable de saints anges. » Nous sommes « en spectacle aux anges ». Davantage, nous leur sommes associés : eux et nous sommes « compagnons de service ». Cette vie n'est plus une corvée, elle n'est plus une simple épreuve de nos forces, elle est même mieux qu'un témoignage de notre pauvre amour : elle est une communion dans l'amour divin avec ces grands esprits triomphants.

La discipline spirituelle devrait nous acclimater à cette société invisible, au lieu d'enclore chacun de nous en son petit cas. Remarquez quelle sorte d'épanouissement les anges nous procureraient si nous croyions en eux : la communion avec la nature sensible nous dilate; elle rétablit notre équilibre psychique; elle délivre nos puissances de poésie. Mais elle nous dissout confusément dans l'univers et elle nous éloigne de l'action. La communion avec les hommes dans une œuvre à laquelle nous nous sacrifions ensemble exalte en nous bien des passions généreuses, mais elle nous bloque, nous qui sommes ouverts à l'infini, sur un intérêt limité, quelque grand qu'il soit ; elle nous fait projeter indûment sur lui notre exigence d'infini ; elle risque de nous clore à tout le reste. Notre communion avec les anges nous ouvre aux choses éternelles. Cependant, elle ne peut pas consister dans une évasion hors de ce monde. Bon pour le petit enfant, dans son berceau, de «rêver aux anges» ! Nous recevons de ces serviteurs toujours en éveil une stimulation pour toutes nos tâches. Ils mettent en acte dans l'instant présent nos personnes immortelles.

★

Il faut nous arrêter un peu sur un office bien remarquable que nous devons attendre d'eux. Ils doivent épanouir en une contemplation cosmique notre petite vie spirituelle. Nous la coupons des réalités visibles et invisibles dont elle dépend. Les anges intègrent toute la nature à notre mystique. « Chaque souffle d'air, écrit Newman, chaque rayon de lumière et de chaleur, chacune des scènes splendides de la nature, est, pour ainsi dire, le bord de leurs vêtements, l'ondulation des robes de ceux dont les visages contemplent Dieu... Quelles seraient les pensées d'un homme qui, examinant une fleur, une plante, une pierre ou un rayon lumineux, toutes choses qu'il traite comme bien au-dessous de lui dans l'échelle de l'existence, découvrirait tout à coup qu'il se trouve en présence de quelque être puissant, que cet être, caché derrière les choses visibles qu'il surveille, leur dispense de sa main invisible mais sage la beauté, la grâce et la perfection, parce qu'il est un instrument de Dieu, commis par lui à ce soin ; que ces objets enfin qu'il est si avide d'analyser sont les vêtements mêmes et la parure de cet être puissant ? Et j'en conclus que nous pouvons dire dans la reconnaissance et l'humilité de nos cœurs, avec les trois bienheureux enfants dans la fournaise : «O vous tous, ouvrages du Seigneur..., bénissez le Seigneur, louez-le, glorifiez-le éternellement ! »

Le monde n'est pas seulement le décor où se jouent nos vies. Il ne soutient pas seulement de ses ressources notre existence périssable, de ses images nos pensées, de ses charmes nos âmes. Il n'est pas seulement un vaste domaine à exploiter, pour qu'en y édifiant nos œuvres nous nous construisions nous-mêmes et qu'en le cultivant nous nous défrichions. Le monde a une valeur spirituelle en lui-même. On pourrait presque dire qu'il est essentiel à nos destinées, car toutes les parties s'impliquent les unes les autres dans le chœur des créatures, désormais toutes travaillées par des esprits.

L'animisme imagine au secret des êtres on ne sait quels esprits grossiers, anarchiques, confus comme ces êtres mêmes, et plus ou moins dissous en eux. Nous y voyons l'action d'intelligences parfaites, distinctes d'eux, harmonieusement ordonnées entre elles. Il n'y a pas non plus une âme commune de l'univers, vaguement aveugle comme lui, mais des chœurs distincts et purs, dont le chant commande ses rythmes. Il en est ainsi pour que l'univers visible soit une louange de Dieu. Il cache en soi les cieux nouveaux et la terre nouvelle; les anges les préparent en lui pour les élus, en même temps qu'ils préparent les élus eux-mêmes.

Newman, en cela encore, est merveilleux pour nous orienter vers les réalités invisibles. Il évoque l'apparition au printemps de la verdure, où éclate une force cachée : « Qui penserait, sans l'expérience qu'il a eue des printemps précédents, qui pourrait concevoir deux ou trois mois à l'avance que la face de la nature, qui semblait si morte, pût devenir si splendide et si variée ?... La terre, qui s'épanouit maintenant en feuilles et en fleurs, éclatera un jour en un monde nouveau de lumière et de gloire dans lequel nous verrons les Saints et les Anges. »

Cette idée de l'activité cosmique des anges nous déconcerte beaucoup. Certains d'entre nous ont déjà de la peine à croire à l'existence de l'âme parce que le chirurgien ne la voit pas au bout de son scalpel, le médecin ne l'entend pas quand il ausculte. Ils ont plus de peine encore à croire à un gouvernement du monde par Dieu; c'est déjà beau quand on admet que Dieu est nécessaire pour tirer les êtres du néant et pour leur donner la chiquenaude initiale, mais ensuite les lois de ces êtres, inscrites en eux, ne les règlent-elles pas assez ? Cependant on finit par comprendre que l'être animé est inintelligible sans l'âme, un vivant ouvert à l'infini sans une âme immortelle, et l'on reconnaît aussi que l'être tiré du néant a besoin d'être soutenu par la cause créatrice, que les lois naturelles elles-mêmes supposent, pour commander leur effet, l'action en elles du législateur. L'activité des anges dans les éléments du monde visible semble bien plus bizarre! Si elle n'était une croyance commune de l'Église, nous ne la soupçonnerions pas.

Le savant peut construire toute sa science sans se prononcer pour ou contre l'existence de l'âme, non plus qu'au sujet de l'action de Dieu sur les êtres qu'il étudie. Mais lorsqu'il reçoit du philosophe ces deux doctrines, à les bien comprendre, il s'en accommode. En revanche, que des esprits interviennent dans la révolution des astres, dans le cours des vents, dans l'éclosion des fleurs, holà!...

Qu'est-ce que cette mythologie? Ces anges des éléments ne sont-ils pas des génies et des dieux? Nous les avions expulsés de partout. Le poète laisse aux cuistres de collège la *nymphe en pleurs qui se plaint de Narcisse*; il a retrouvé la netteté franche de l'écho. Le physicien en manifeste les lois sans mystère. Ces anges nous agacent!

Bien sûr, répondrai-je, si vous les concevez comme des génies capricieux qui s'amusent avec les éléments! Le savant a raison, pour expliquer les phénomènes en leur matérialité, de considérer les causes matérielles comme suffisantes. Nous ne lui demandons pas de reconnaître nulle part les empreintes digitales des anges, ni d'enregistrer l'ébranlement de leurs coups de pouce. Leur action est d'un autre ordre que celle des causes matérielles. Nous ne pouvons pas nous la figurer corporellement, comme les peuples enfants imaginaient les jeux des lutins et des dieux.

Alors que viennent-ils faire?

Considérez un événement de l'histoire humaine. Il est l'effet imprévisible d'un choix libre, la résultante de nombreux choix libres. Et cependant peut-être l'a-t-on prévu. Réalisé, on l'explique. Quand j'ai lu l'histoire anecdotique, il me semble que tout en lui tient à quelque particularité comme la longueur du nez de Cléopâtre; mais si j'ouvre une histoire économique, j'observe que des déséquilibres de richesses et d'autres forces devaient fatalement avoir cette conséquence; tandis que si je considère l'histoire militaire ou diplomatique, il m'apparaît que tout a tenu à l'habileté d'un chef ou à la sottise d'un ambassadeur. Toutes ces causes valent et d'autres encore. Souffrez que, parmi ces autres, à une profondeur invisible, la foi nous oblige à affirmer l'intervention des anges. Elle ne nous gêne plus, quoique nous ne puissions en préciser le mode.

Dans le monde physique, considérez les grandes découvertes modernes, organisées dans la théorie des quanta. Se serait-on douté que la matière brute était constituée par une activité aussi prodigieuse de forces? Et maintenant qu'on le sait, il est impossible de se *représenter* ce jeu qui pourtant rend raison des choses visibles. Ni le géologue qui explique la formation d'un terrain, ni le chimiste qui en analyse les cristaux n'a besoin d'y faire appel. Là est pourtant la réalité profonde de la matière. Plus profond encore, la foi nous désigne les anges.

Ne dites pas que cela ne nous avance guère, parce que nous ne voyons pas précisément comment ils agissent en ce monde. C'est beaucoup de savoir que, selon les mots de Dom Vonier, « l'univers est maintenu dans sa cohésion aussi bien par les fils d'or de la puissance spirituelle que par les liens plus grossiers de l'énergie naturelle ». Il importe beaucoup à notre conception du monde et de la vie d'ajouter que cette énergie spirituelle n'est pas une force générale, anonyme, mais, sous la puissance de Dieu, qui est lui-même trois Personnes, l'action de personnalités originales, irréductibles les unes aux autres, dont l'accord est intelligent et volontaire. On en vient à penser, comme nous le disions, que les êtres et les phénomènes qui les affectent ont besoin d'être conçus par ces intelligences.

J'écoute donc l'énorme travail de mastication, de ruminement de ces puissants esprits, occupés à proportionner les décrets divins aux esprits inférieurs et enfin à leur exécution. Je me dis que c'est sans doute à l'activité des anges que les choses doivent leurs charmes si ravissants. S'il y a un tel luxe de fantaisie parmi les créatures, dans un ordre si harmonieux, si l'on croit y saisir l'invention d'artistes pleins de joie, de tendresse, de force, d'humour, si elles parlent intimement à nos âmes, c'est parce qu'elles sont en effet confiées à ces artistes-là, sous le grand Artiste divin.

Dieu donne à ses créatures de faire plus que d'exister, d'être vraiment des causes. Nous voyons bien que les êtres agissent en toute vérité les uns sur les autres. De même, dans l'invisible, Dieu s'associe des intelligences auxquelles il accorde d'élaborer véritablement les raisons des êtres. Ainsi les échanges, dans la création, ont lieu sur trois registres, qui se correspondent comme les claviers d'un orgue : le monde des anges, les créatures visibles, et la vie secrète des âmes. Le premier assure l'accord des deux autres.

Le monde peut d'autant moins désormais nous être hostile, étranger ou indifférent, que ces anges ne sont pas nécessité pure comme le voulaient des spéculations zoroastriques, gnostiques, arabes. Nous ne sommes pas pris dans une mécanique inéluctable de sphères qui s'emboîtent les unes dans les autres et qui nous imposent nos pensées et nos affections, en tournant d'une marche fatale que déterminent des intelligences nécessaires. Nous sommes invités à entrer dans un jeu. Ces puissantes intelligences, ces astuces inventives et aiguës ne peuvent rien sur la simplicité d'un cœur d'enfant. Dieu ne s'astreint pas à en suivre toujours la filière; il lui arrive d'agir directement sans elles. Et elles ne sont pas des intelligences froides et sèches : voilà des intelligences qui sont amour. Quand on a compris la rigueur de l'intelligence en elle-même, c'est un émerveillement de savoir que le monde des pures intelligences est le règne de l'amour. Elles ont été éprouvées. Elles agissent en vertu de leur choix véhément et humble. Étant tout piété, elles ressentent, en se penchant vers nos souffrances, la pitié. Elles sont de tendres ministres de la Miséricorde. Et voilà ce qui est à l'œuvre sous les apparences d'un monde indifférent.

A l'instant, par la fenêtre ouverte m'arrive de quelque T. S. F. voisine une sonate de Chopin. Je lève les yeux et tout est transfiguré. La lumière vibre sur le toit de tuiles, une intelligence qui est amour fait glisser les petits nuages, remuer le rideau sous un souffle et passer tout à coup l'ombre d'un oiseau. Les choses n'ont pas cessé de n'être qu'elles-mêmes. Comment sont-elles aussi poésie et musique! Elles l'étaient tout à l'heure. C'est moi qui n'en apercevais pas la beauté. Elles recèlent encore bien d'autres charmes qu'un accord venu d'une âme peut-être me révélerait. Si nous ne couvrions de notre vacarme la musique du ciel que la grâce fait chanter dans nos âmes, nous entendrions que l'univers est la musique des anges.

★

Le monde n'est pas seul à s'illuminer, lorsque nous croyons pour de bon au ministère des anges. Notre vie en reçoit un éclat nouveau. L'affaire de notre salut personnel, pour s'être élargie aux dimensions du monde, deviendrait-elle indifférente! Nous ne pouvons plus nous recroqueviller sur une « vie intérieure » égoïste et mesquine, mais c'est bien notre salut qui procurera la gloire de Dieu, qui dilatera le règne du Christ; c'est à lui que les anges travaillent. Certes, la grande raison pour laquelle la vie, quelque effroyable qu'elle puisse paraître au jugement naturel, est un mystère magnifique, ce n'est pas l'activité des anges, c'est que le Christ est mort et ressuscité pour nous. Désormais, nous ne pouvons plus demeurer sur notre indigence, « tout est à nous, nous sommes au Christ, et le Christ est à Dieu ». Nous sommes pris dans l'étonnante aventure du Règne divin. Cependant, les anges contribuent à nous manifester la grandeur de ce mystère. Que grâce à leur activité cosmique, toute difficile à comprendre qu'elle est, cette grande machine de l'univers nous apparaisse comme un ordre au service de nos destinées surnaturelles, et désormais la splendeur de ces destinées frappe nos imaginations elles-mêmes.

Qu'un ange soit commis à notre service, un ange qui ne cesse de contempler en nous gardant la face du Père, voilà qui nous inspire pour nous un singulier respect; il s'accroît à la pensée de la prodigieuse troupe dont cet ange est solidaire. La morale ne peut plus être une petite discipline chagrine. Science et art de la vie, elle prend une étrange ampleur. Les âmes profondes ont toujours perçu un rapport entre les deux sources inépuisables de l'admiration, « le ciel étoilé au-dessus de nos têtes, la loi morale au dedans ». Voici que des cieux, plus admirables encore que le ciel des étoiles, s'emploient dans les cieux de notre âme à nous rendre convaincante la loi de l'Amour.

Leur action n'aura pas tout son effet si nous l'ignorons et lui sommes ingrats. La piété chrétienne a toujours engagé à révérer les anges, à les prier, à leur témoigner une confiance enfantine. « Les anges, disait Béruelle, sont les premiers citoyens et les plus honorables de la ville, avec lesquels nous devons traiter avant tout et le plus souvent. Nos affaires et nos missions sont semblables, et notre conduite y doit être pareille. Nous devons être des anges visibles associés à ces anges invisibles. »

Ici apparaît une autre forme de la dévotion aux anges, qui consiste à les imiter. Ah! « qui veut trop faire l'ange... » Oui, c'est une parole dont on vérifie tous les jours la justesse. Mais il n'est que de faire l'ange à bon escient, selon la capacité de notre nature. Les saints nous donnent là-dessus bien des indications, dont voici, me semble-t-il, les principales :

Nous ne saurions prétendre à l'intégrité des anges, puisqu'elle est celle de purs esprits. Cependant, la pensée de leur don absolu nous stimule. Les choses qui se désagrègent et s'écoulent autour de nous, nous sollicitent de périr avec elles; ces esprits rappellent à lui-même notre esprit, le rendent attentif à son identité profonde. Ils lui rendent le sens de l'engagement plénier dans son service. Ils lui font retrouver en soi le principe de toute constance, de toute fidélité.

Les deux qualités que la tradition chrétienne nous invite le plus fréquemment à demander aux anges sont la pauvreté du cœur et la pureté. L'Orient a insisté de préférence sur la première, l'Occident sur la seconde. Les anges sont dégagés des biens temporels; à les fréquenter nous apprenons ce désintéressement. Il est banal, en revanche, de parler de « pureté angélique ». A vrai dire, ni cette pureté ni cette pauvreté ne font de problème pour les anges. Il est bien évident que nous mettre à leur école n'est pas apprendre d'eux les moyens pratiques d'acquérir les vertus : leur condition est trop différente de la nôtre. En nous, c'est toujours l'intention que leur exemple ennoblit.

Ils nous entraînent à louer Dieu, ils excitent notre zèle à le servir. Saint Vincent de Paul recommandait d'imiter ce qu'il appelait leur « indifférence », c'est-à-dire cette disponibilité parfaite qui ne laisse en eux pas d'autre souci que d'obéir à la volonté divine.

Ce dernier trait nous amène à ce qui me semble être la grande leçon des anges : leur amour de l'ordre. Notre monde est proprement *impie*, c'est-à-dire obstiné dans le refus amer de se laisser régir par les *principes* de sa vie, et d'abord par Dieu. Le monde des anges est celui de l'obéissance joyeuse. Et cette obéissance n'est en rien un conformisme extérieur, elle est un accord intime; elle n'est une soumission à rien qui soit indigne d'incliner le consentement, elle est la conformité à l'ordre même dans lequel chaque esprit est inséré. Aussi chacun y trouve-t-il son accomplissement.

Saint Bonaventure remarque quatre aspects de cet amour angélique de l'ordre : un humble respect vis-à-vis des supérieurs, la concorde avec les égaux, la clémence envers les inférieurs, et il introduit la pureté entre cette révérence à l'égard des supérieurs et cet esprit de paix avec les égaux, ce qui me paraît une vue spirituelle très profonde : la pureté est bien, par rapport à soi-même, ce que ces trois autres qualités sont par rapport aux autres, et l'effet intérieur du bon ordre.

« Par-dessus tout, nous dit saint Bernard, ce que nous devons imiter dans les anges, c'est la charité dans l'union et la paix. » Le principe de leur ordre est la Charité, « l'Amour qui meut le soleil et les étoiles ». L'ordre leur est si cher, parce qu'il est l'ordre de l'Amour, au point que, l'Amour paraissant l'enfreindre dans la souveraineté universelle accordée au Christ, dans le couronnement de Marie, dans l'accession des hommes aux rangs angéliques, les anges comprennent, admirent, servent avec un surcroît d'allégresse. L'Amour, directement, touche les cœurs, franchissant les hiérarchies ; les anges s'effacent, ne veulent pas être des intermédiaires chaque fois que le contact doit être direct entre une âme et son Dieu.

PLANCHES

ART BYZANTIN — VIe Siècle
L'ARCHANGE SAINT MICHEL. Mosaïque.
Basilique de Saint-Apollinaire-in-Classe, Ravenne. (Alinari)

I

ART ROMAIN — VIIIe Siècle
2   UN CHÉRUBIN. Fresque.
Sainte-Marie-Antique, au Forum romain. (Wilpert)

CAVALLINI — Peignait à Rome en 1280
UN SÉRAPHIN. Détail du JUGEMENT DERNIER.
Sainte-Cécile du Transtévère, Rome. (Wilpert)

3

ART CHRÉTIEN — Ve Siècle
LES ANGES DE L'ANNONCIATION ET L'ANGE APPARAISSANT
A JOSEPH. Mosaïque. *Sainte-Marie-Majeure, Rome. (Wilpert)*

4

ÉCOLE DU MONT CASSIN — XIIᵉ Siècle
5   SAINT MICHEL. Fresque.
Basilique de Sant Angelo in Formis, près de Capoue. (Anderson)

ÉCOLE DU MONT CASSIN — XIIᵉ Siècle

SAINT MICHEL. Détail du JUGEMENT DERNIER. Fresque.
Basilique de Sant Angelo in Formis, près de Capoue. (Anderson)

6

FVGIEBAT· IACOB·LVCTAVIT·CV·ANGLO·
ANGLS·BENEDIC·EI·DICES·NE·
A·Q·QVA·VOCABIS·IACOB·S·ISRL·ERIT·
NOM·TVV·

ISRE

ART GRÉCO-BYZANTIN DE SICILE — XIIIᵉ Siècle
JACOB AVEC UN ANGE SUR LA ROUTE. Mosaïque.
Basilique de Monreale. *(Alinari)*

ÉCOLE FRANCO-ESPAGNOLE — XIIᵉ Siècle.
LA CHUTE DES MAUVAIS ANGES
Apocalypse de Saint-Sever. Manuscrit. Bibliothèque Nationale, Paris.

ART ROMAN FRANÇAIS — XIe Siècle
SAINT MICHEL ET SES ANGES DEVANT LE DRAGON. Fresque.
Église de Saint-Savin-sur-Gartempe, Vienne. (Deviny)

10 CIMABUE — 1240-1320
LA VIERGE AUX ANGES
Musée du Louvre, Paris. (Giraudon)

CIMABUE — 1240-1320
LA VIERGE AUX ANGES. Détail.
Musée du Louvre, Paris. (Giraudon)

II

CIMABUE (1240-1320) ou DUCCIO (1260-1320)

12 TÊTE D'ANGE. Détail d'une MADONE AU TRONE

Chapelle Rucellaï, Sainte-Marie-Nouvelle, Florence. (Brogi)

ANDRÉ ROUBLEV — 1390-1430
LES ANGES DE LA TRINITÉ. Icône.
Monastère Laure-de-Saint-Serge, près de Moscou.

13

DUCCIO DI BUONINSEGNA — 1260-1320
LA TENTATION DU CHRIST
Collection Benson, Londres. (Braun)

14

DUCCIO DI BUONINSEGNA — 1260-1320
LES TROIS MARIE AU SÉPULCRE
Cathédrale de Sienne. (Brogi)

15

GIOTTO — 1266-1337
16   LE SONGE DE SAINT-JOACHIM. Fresque.
Chapelle Scrovegni, Padoue. (Anderson)

GIOTTO — 1266-1337
LES ANGES PLEURANT LE CHRIST MORT. Détail d'une fresque.
Chapelle Scrovegni, Padoue. (Anderson)

17

18 GIOTTO (ou son école) — Début du XIVe Siècle
SAINT FRANÇOIS REÇOIT LES STIGMATES
Musée du Louvre, Paris. (Giraudon)

BERNARDO DADDI — Vers 1330
L'ANNONCIATION
Musée du Louvre, Paris. (Laniepce)

ORCAGNA — 1308-1368
LE TRIOMPHE DE LA MORT. Détail. 20
Campo Santo de Pise. (*Alinari*)

SIMONE DI MARTINO — 1283-1342
ANGE OFFRANT DES ROSES. Détail de la VIERGE EN MAJESTÉ. 22
Fresque. *Palais Public, Sienne. (Alinari)*

MASOLINO DI PANICALE — 1363-1447

23   L'ARCHANGE GABRIEL

New-York, Lord Duveen. (Venturi)

FRA ANGELICO — 1387-1455
L'ANNONCIATION
Chapelle du « Gesu », Cortone. (Alinari)

24

FRA ANGELICO — 1387-1455
DEUX ANGES MUSICIENS. Détail du Tabernacle des « Lenaioli ».
Musée Saint-Marc, Florence. (Alinari)

25

FRA ANGELICO — 1387-1455
LA RONDE DES ANGES ET DES ÉLUS. Détail du JUGEMENT
DERNIER. *Musée des Offices, Florence.* *(Alinari)*

FRA ANGELICO — 1387-1455
UN ANGE MÈNE LA DANSE DES ÉLUS. Détail de la planche
précédente. *Musée des Offices, Florence. (Alinari)* 27

FRA ANGELICO — 1387-1455
28 L'ANGE GABRIEL SALUANT MARIE. Détail de
L'ANNONCIATION. *Chapelle du « Gesu », Cortone. (Alinari)*

FRA ANGELICO — 1387-1455
L'ANNONCIATION.
Chapelle du « Gesu », Cortone. (Alinari)

.29

FRA ANGELICO — 1387-1455
VISAGE D'UN ANGE. Détail du COURONNEMENT
DE LA VIERGE. *Musée du Louvre, Paris. (Laniepce)*

31

FRA ANGELICO — 1387-1455
LE REPAS DE SAINT DOMINIQUE SERVI PAR LES ANGES
Prédelle du COURONNEMENT DE LA VIERGE. *Musée du Louvre, Paris.*

33

LE SASSETTA — 1392-1451
SAINT ANTOINE TENTÉ PAR LE DÉMON TRANSFORMÉ EN ANGE.
Morceau de prédelle. *Collection Jarves, New-Haven, Université de Yale, U.S.A. (Venturi)*

34

SPINELLO ARETINO (Entre 1373 et 1410)
35   L'ANGE GABRIEL. Détail de L'ANNONCIATION.
Collection Frick, New-York. (Venturi)

JAN VAN EYCK (1385-1441) et HUBERT VAN
EYCK (+ 1426)
L'ARCHANGE GABRIEL SALUANT MARIE. Retable de
L'AGNEAU MYSTIQUE. *Cathédrale Saint-Bavon, Gand.* (Bulloz)

36

JAN VAN EYCK (1385-1441) et HUBERT VAN
EYCK (+ 1426)
L'ADORATION DE L'AGNEAU. Détail du Retable de L'AGNEAU
MYSTIQUE. *Cathédrale Saint-Bavon, Gand. (Bulloz)*

DIRK BOUTS — 1410-1475
LA FONTAINE SYMBOLIQUE ou LE CHEMIN DU PARADIS
Volet d'un retable. *Musée de Lille.*

ÉCOLE PARISIENNE (Vers 1395)
LA VIERGE AVEC L'ENFANT ENTOURÉE D'ANGES S'AVANCE
VERS RICHARD II D'ANGLETERRE. *National Gallery, Londres.*

39

ÉCOLE PARISIENNE — XIVe Siècle
L'ANNONCIATION
Collection Arthur Sachs, New-York. (Giraudon)

ATELIER PARISIEN DE NICOLAS BATAILLE (1490)
LE FEU DU CIEL TOMBE SUR LES EAUX. Détail de l'APOCALYPSE.
Tenture. Musée de l'Evêché, Angers. (Illustration)

LOUIS BREA (1475)
LA VIERGE DE DOULEUR
Eglise de Cimiez, Nice. (Bulloz)

42

ENGUERRAND QUARTON (1453)

43 SAINT GABRIEL. Détail du COURONNEMENT DE LA VIERGE.
Hospice de Villeneuve-les-Avignon. (Floury)

ENGUERRAND QUARTON (1453)
LES CHÉRUBINS BLEUS. Détail du COURONNEMENT DE LA
VIERGE. *Hospice de Villeneuve-les-Avignon. (Floury)* 44

ENGUERRAND QUARTON (1453)
45 UN ANGE SOUFFLANT DANS UN ENCENSOIR
Détail du COURONNEMENT DE LA VIERGE

LE MAITRE DE L'ANNONCIATION D'AIX (Vers 1443)
GABRIEL AGENOUILLÉ DEVANT MARIE. Détail de L'ANNONCIATION.
Eglise Sainte-Marie-Madeleine, Aix-en-Provence.

LE MAITRE DE MOULINS (Vers 1480)
TRIPTYQUE DE LA VIERGE GLORIEUSE. Détail.
Cathédrale de Moulins. (Bulloz)

47

HEC · EST · ILLA · DE QVA · SACRA · CANVNT · EVLOGIA · SOLE · AMICTA
IN NAM · HABENS · SVB · PEDIBZ · STELIS · MERVIT · CORONARI · DVODENIS

48 LE MAITRE DE MOULINS (Vers 1480)
TRIPTYQUE DE LA VIERGE GLORIEUSE. Partie centrale.
Cathédrale de Moulins. (Giraudon)

JEAN FOUQUET (Vers 1450).
LA VIERGE AUX ANGES ROUGES
Musée Royal, Anvers. (Giraudon) 49

NICOLAS FROMENT (Vers 1435-1484)
LE BUISSON ARDENT. Panneau central.
Cathédrale Saint-Sauveur Aix-en-Provence. (Berry)

ROGER VAN DER WEYDEN — 1400-1464
TRIPTYQUE DES SACREMENTS. Volets.
Musée Royal, Anvers. (Bruckmann)

52

ROGER VAN DER WEYDEN — 1400-1464
53   LES ANGES PORTANT LES INSTRUMENTS DE LA PASSION
Détail du JUGEMENT DERNIER. *Hospice de Beaune.* (*Bulloz.*)

ROGER VAN DER WEYDEN — 1400-1464
L'ARCHANGE SAINT MICHEL PESANT LES ÂMES
Détail du JUGEMENT DERNIER. *Hospice de Beaune.* *(Bulloz)*

54

HUGO VAN DER GOES (+ 1482)
L'ADORATION DES BERGERS
Musée des Offices, Florence. *(Seemann)*

56

LE MAITRE DE FLEMALLE — 1375-1444 ?
L'ADORATION DES BERGERS. Détail.
Musée de Dijon. (Giraudon)

57

HANS MEMLING — 1430-1494
L'ANNONCIATION
Collection Lehman, New-York. (Braun)

58

HANS MEMLING — 1430-1494
ANGES MUSICIENS
Musée d'Anvers. (Bulloz).

59

JÉROME BOSCH — 1450-1515
L'ANGE GARDIEN ET L'ANGE TENTATEUR. Détail du CHARIOT
DE FOIN. *Musée du Prado, Madrid. (Laniepce)*

JÉROME BOSCH — 1450-1515
LA CHUTE DES ANGES REBELLES. Détail du CHARIOT DE FOIN
Musée du Prado, Madrid. (Laniepce)

GÉRARD DAVID — 1460-1523
ANGE DE L'ANNONCIATION
Musée de Berlin. Anciennement Collection Hohenzollern. (Bruckmann)

62

BREUGHEL-LE-VIEUX — 1525-1569
63 LA CHUTE DES ANGES REBELLES
Musée Royal, Bruxelles. (Bulloz)

SATURNO DI GATTI — Peignait entre 1488 et 1517
MADONE DE LORETTE
Bibliothèque Pierpont Morgan, New-York. (d'après Venturi)

64

BENOZZO GOZZOLI — 1420-1498

65 LES ANGES CHANTANT LE GLORIA. Fresque. Partie droite.
Palais Riccardi, Florence. (Alinari)

BENOZZO GOZZOLI — 1420-1498

LES ANGES CHANTANT LE GLORIA. Fresque. Partie gauche. Détail.

Palais Riccardi, Florence. *(Anderson)*

66

67 **BENEDETTO BONFIGLI** — 1450-1496
L'ANGE DE L'ANNONCIATION
Pinacothèque royale, Pérouse. (Giraudon)

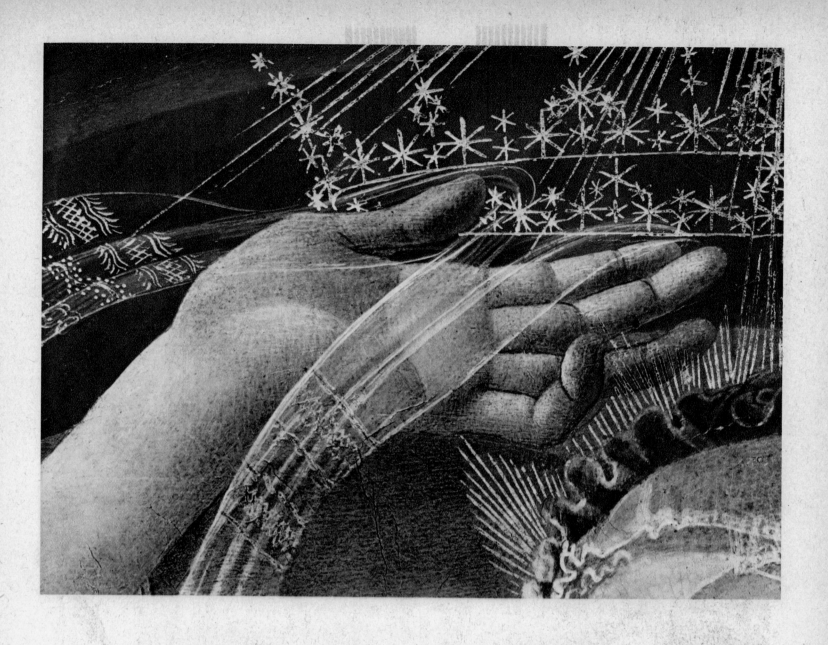

SANDRO BOTTICELLI — 1444-1510
LA MAIN D'UN ANGE. Détail du MAGNIFICAT.   68
Musée des Offices, Florence. (Brogi)

SANDRO BOTTICELLI — 1444-1510
69 L'ANGE SUR LES RAYONS D'OR, Détail du COURONNEMENT
DE LA VIERGE. *Musée des Offices, Florence. (Brogi)*

SANDRO BOTTICELLI — 1444-1510
LA VIERGE DU MAGNIFICAT
Musée des Offices, Florence. (Seemann)

SANDRO BOTTICELLI — 1444-1510
TÊTE D'ANGE. Détail du COURONNEMENT DE LA VIERGE. 71
Musée des Offices, Florence. (Brogi)

SANDRO BOTTICELLI — 1444-1510
LA NATIVITÉ
National Gallery, Londres. (Anderson)

72

SANDRO BOTTICELLI — 1444-1510
RONDE DES ANGES. Détail du COURONNEMENT DE LA VIERGE.
Musée des Offi.es, Florence. (Brogi)

73

SANDRO BOTTICELLI — 1444-1510
74 SAINT MICHEL. Détail du Retable de Saint Barnabé.
Musée des Offices, Florence. (Anderson)

SANDRO BOTTICELLI — 1444-1510
ANGE OFFRANT LES CLOUS DE LA PASSION. Détail du Retable
de Saint Barnabé. *Musée des Offices, Florence.* *(Anderson)*

75

FILIPPINO LIPPI — 1457-1504
TÊTE D'ANGE TRISTE
Musée de Strasbourg. (Bulloz)

76

FILIPPINO LIPPI — 1457-1504
ANGE PRIANT. Détail de l'APPARITION DE LA VIERGE A SAINT
BERNARD. *Badia, Florence. (Brogi)*

77

PIERO DELLA FRANCESCA — 1410-1493
LE BAPTÊME DU CHRIST
National Gallery, Londres. (National Gallery)

78

PIERO DELLA FRANCESCA — 1410-1493
TROIS VISAGES D'ANGES. Détail du BAPTÊME DU CHRIST.
National Gallery, Londres. (Anderson)

PIERO DELLA FRANCESCA — 1410-1493
LA NATIVITÉ
National Gallery, Londres. (Anderson)

81

82 MELOZZO DA FORLI — 1438-1494
ANGE MARCHANT. Détail de l'ANNONCIATION.
Musée des Offices, Florence. (Anderson)

MELOZZO DA FORLI — 1438-1494
ANGE AU LUTH. Fresque.
Sacristie de la Basilique de Saint-Pierre, Rome. (Seemann)

83

GIOVANNI BELLINI — 1430-1516
ANGE MUSICIEN. Détail de LA VIERGE ET QUATRE SAINTS. **84**
Eglise dei Frari, Venise. (Alinari)

MICHEL-ANGE BUONAROTTI — 1475-1524
JUGEMENT DERNIER. Fresque. Détail.
Chapelle Sixtine, Rome. (Anderson)

MICHEL-ANGE BUONAROTTI — 1475-1524
LA VIERGE A L'ENFANT AVEC SAINT JEAN ET DES ANGES
Détail. *National Gallery, Londres. (Anderson)*

86

87 ÉCOLE DE BOTTICELLI
ETUDE D'UN ANGE. Dessin.
Musée des Offices, Florence. (Alinari)

GIOVANNI BOTTICINI — 1446-1497
TOBIE ET LES TROIS ARCHANGES
Académie des Beaux-Arts, Florence. (*Seemann*)

LE PÉRUGIN — 1446-1524   89
L'ANGE GABRIEL DEVANT MARIE. Dessin.
Musée Bonnat, Bayonne. (Bulloz)

ANDREA DEL VERROCCHIO — 1435-1488
LE BAPTÊME DU CHRIST
Musée des Offices, Florence. (Anderson)

LÉONARD DE VINCI — 1452-1519
L'ANGE DE LA VIERGE AU ROCHER.
Musée du Louvre, Paris. (Giraudon)

91

LÉONARD DE VINCI — 1452-1519
92 L'ANGE GABRIEL. Détail de l'ANNONCIATION.
Musée des Offices, Florence. (Anderson)

RAPHAEL SANZIO — 1483-1520
94 DEUX ANGELOTS. Détail de la VIERGE AU BALDAQUIN.
Palais Pitti, Florence. (Brogi)

VITTORE CARPACCIO — 1460-1522
ANGE MUSICIEN. Détail de la PRÉSENTATION.
Académie, Venise. (Seemann)

95

TIZIANO VECELLI — 1477-1576
L'ANNONCIATION
Scuola San Rocco, Venise. (Anderson)

96

TIZIANO VECELLI — 1477-1576
ANGE DE L'ANNONCIATION. Etude au crayon.
Musée des Offices, Florence. (Anderson)

97

TIZIANO VECELLI — 1477-1576
L'ANGE. Détail de LA MISE AU TOMBEAU.
Musée du Prado, Madrid. (Más)

98

99   TIZIANO VECELLI — 1477-1576
TOBIE ET L'ANGE RAPHAEL
Eglise Saint-Marc, Venise. (Anderson)

TIZIANO VECELLI — 1477-1576
L'ANGE. Détail de TOBIE ET L'ANGE RAPHAEL.
Eglise Saint-Marc, Venise. (Anderson)

100

TIZIANO VECELLI — 1477-1576
ANGELOTS. Détail de l'ASSUNTA.
Académie, Venise. (Anderson)

LE TINTORET — 1518-1594
L'ANNONCIATION
Scuola San Rocco, Venise. (Anderson)

102

LE VÉRONÈSE — 1528-1588
L'INCENDIE DE SODOME
Musée du Louvre, Paris. (Laniepce)

LE VÉRONÈSE — 1528-1588
L'INCENDIE DE SODOME
Musée du Louvre, Paris. (Lantiépee)

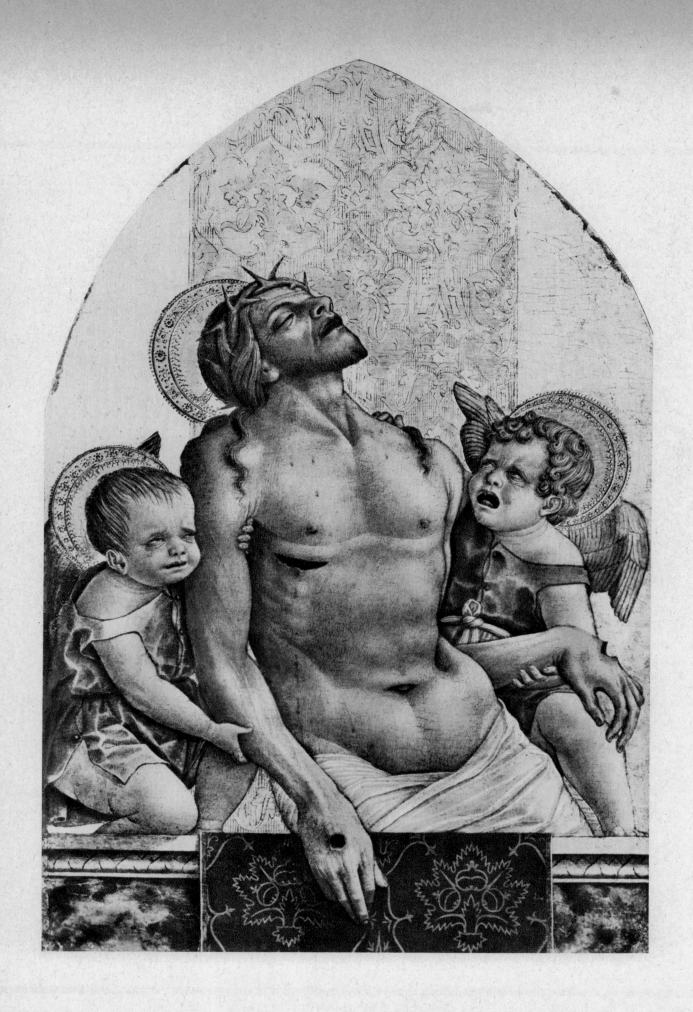

CARLO CRIVELLI — Peignait entre 1457 et 1493
ANGELOTS PLEURANT LE CHRIST MORT. Fragment de Polyptyque.
Collection Johnson, Philadelphie. (Venturi)

105

LE CARAVAGE — 1569-1609
LA FUITE EN ÉGYPTE
Palais Doria, Rome. (Alinari)

GHERARDO DELLE NOTTI — 1590-1656
LA CRÈCHE
Musée des Offices, Florence. (Anderson)

107

GRAN DOMENICO TIEPOLO — 1727-1804
AGAR ET ISMAEL
Nelson Museum, Kansas City, U.S.A. (Venturi)

LE MAITRE DE LIESBORN — Peignait en 1465
CINQ ANGES ADORANT L'ENFANT
Retable de l'Abbaye de Munster. (Bruckmann).

LE MAITRE DE LIESBORN — Peignait en 1465
L'ANGE AU GRAAL
Retable de l'Abbaye de Munster. (Bruckmann)

III

HANS BALDUNG GRIEN — 1475-1545.
L'ADORATION DE L'ENFANT. Détail.
Badische Kunsthalle, Carlsruhe. (Deutscher Kunstverlag)

112

LE MAITRE DE SAINT SÉVERIN (Fin du XVᵉ Siècle)
LE SONGE DE SAINTE URSULE
Musée de Cologne. (Seemann)

ALBERT DÜRER — 1471-1528

LA VIERGE AU SERIN

Kaiser-Friedrich-Museum, Berlin. (Seemann)

114

ALBERT DÜRER — 1471-1528
115 L'ANGE QUI TIENT LA CLÉ DE L'ABIME
Gravure sur bois. *Bibliothèque Nationale, Paris. (Giraudon)*

ALBERT DÜRER — 1471-1528
LES QUATRE ANGES QUI RETIENNENT LES VENTS
Gravure sur bois. *Bibliothèque Nationale, Paris. (Giraudon)*

116

ALBERT·ALTDORFER — 1480-1538
LA SAINTE FAMILLE A LA FONTAINE
Kaiser-Friedrich Museum, Berlin.

117

LUCAS CRANACH — 1472-1553
LE REPOS PENDANT LA FUITE EN ÉGYPTE
Carlsruhe, Musée. (Seemann)

MATHIAS GRUENEWALD — 1470-1529
SAINT GABRIEL. Détail du Retable d'Isenheim.
Musée de Colmar. *(Zervos)*

MATHIAS GRUENEWALD — 1470-1529
UN SÉRAPHIN JOUANT DE LA VIOLE D'AMOUR
Détail du Retable d'Isenheim. *Musée de Colmar.* *(Zervos)*

MATHIAS GRUENEWALD — 1470-1529

ANGE MUSICIEN

Détail du Retable d'Isenheim. *Musée de Colmar. (Zervos)*

121

FERDINAND BOL — 1616-1680
L'ÉCHELLE DE JACOB
Galerie royale, Dresde. (Bulloz.)

122

EUGÈNE DELACROIX, d'après P.P. RUBENS
LA FUITE DE LOTH
Musée du Louvre, Paris. (Lantiepee)

REMBRANDT — 1606-1669
L'ANGE ARRÊTANT L'ANESSE DE BALAAM   124
Musée Cognacq-Jay, Paris. (Bulloz)

REMBRANDT — 1606-1669
125 L'ANGE PARLANT A L'OREILLE DE SAINT MATHIEU. Détail.
Musée du Louvre Paris. (Laniepce)

REMBRANDT — 1606-1669
JACOB LUTTANT AVEC L'ANGE
Galerie Nationale, Berlin. (Braun)

126

REMBRANDT — 1606-1669
127 L'ARCHANGE RAPHAEL QUITTE LA FAMILLE DE TOBIE
Musée du Louvre, Paris. (Bulloz)

REMBRANDT — 1606-1669
ABRAHAM REÇOIT LES ANGES A SA TABLE
Musée de l'Ermitage, Leningrad. (Seemann)

REMBRANDT — 1606-1669
LA VISION DE DANIEL
Galerie Nationale, Berlin. (Braun)

129

ÉCOLE CATALANE — (Début du XVᵉ Siècle)
130   L'ANGE GABRIEL. Détail du Retable de Gardona.
Musée d'Art ancien, Barcelone. (Más)

EL GRECO — 1541-1614
UN ANGE. Détail de L'ENTERREMENT DU COMTE D'ORGAZ. 131
Église San-Tome, Tolède. (Más)

EL GRECO — 1541-1614
132   GROUPE D'ANGES. Détail du BAPTÊME DU CHRIST.
Hôpital Saint-Jean-Baptiste, Tolède. (Más)

EL GRECO — 1541-1614
ANGE MUSICIEN. Détail du MARTYRE DE SAINT MAURICE.   133
Musée du Prado, Madrid. (Más)

EL GRECO — 1541-1614
L'ANGE AU VIOLONCELLE. Détail du MARTYRE
DE SAINT MAURICE. *Musée du Prado, Madrid.* (Más)

EL GRECO — 1541-1614
LE SONGE DE PHILIPPE II
Musée du Prado, Madrid. (Mds)

EL GRECO — 1541-1614
DEUX ANGES. Détail de LA TRINITÉ. 136
Musée du Prado, Madrid. (Mas)

DIEGO VELAZQUEZ — 1599-1660
137 ANGELOTS. Détail du COURONNEMENT DE LA VIERGE.
Musée du Prado, Madrid. (Más)

JUAN DE VALDES LEAL — 1630-1691   138
SAINT JÉROME FLAGELLÉ PAR LES ANGES EN PRÉSENCE
DU CHRIST. *Musée de Séville. (Más)*

FRANCISCO ZURBARAN — 1598-1662
L'ANGE A L'ENCENSOIR
Musée de Cadix. (Más)

FRANCISCO ZURBARAN — 1598-1662
VISION DE SAINT-PIERRE NOLASQUE
Musée du Prado, Madrid, (Lamiepze)

B.-E. MURILLO — 1618-1682   141
LA CUISINE DES ANGES
Musée du Louvre, Paris. (Giraudon)

FRANCISCO GOYA — 1746-1828
ANGES. Détail d'une fresque.
Sant-Antonio de la Florida, Madrid. (Más)

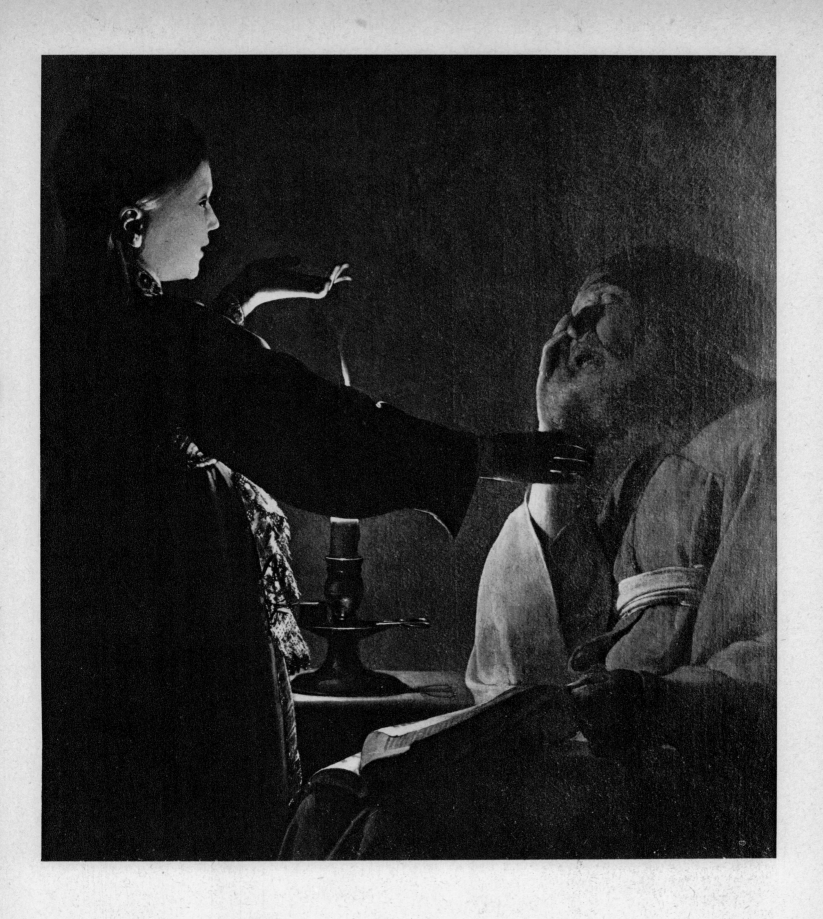

GEORGES DE LA TOUR — 1591
LE SONGE DE SAINT JOSEPH
Musée de Nantes. (Bulloz)

143

LOUIS LE NAIN — 1593-1648
144 LA NAISSANCE DE LA VIERGE. Détail.
Eglise Saint-Etienne-du-Mont, Paris. (Giraudon)

SIMON VOUËT — 1590-1649
MISE AU TOMBEAU
Musée d'Épinal. (Bulloz)

145

EUSTACHE LE SUEUR — 1617-1655
146 LA FAMILLE DE TOBIE REMERCIANT L'ANGE RAPHAEL
Musée de Grenoble. *(Bulloz)*

ÉDOUARD MANET — 1832-1883
LES ANGES AU TOMBEAU DU CHRIST. Aquarelle.
Musée du Louvre Paris. (Laniepce)

NICOLAS POUSSIN — 1594-1665
LE RAVISSEMENT DE SAINT PAUL
Musée du Louvre, Paris. (Giraudon)

149   NICOLAS POUSSIN — 1594-1665
SAINT MATHIEU ET L'ANGE
Musée de Berlin. (Giraudon)

EUGÈNE DELACROIX — 1798-1863
HÉLIODORE CHASSÉ DU TEMPLE
Église Saint-Sulpice, Paris. (Bulloz)

150

EUGÈNE DELACROIX — 1798-1863
151   LUTTE DE JACOB AVEC L'ANGE. Détail.
Église Saint-Sulpice, Paris. (Giraudon)

GEORGES ROUAULT — Né en 1871
L'ANGE GARDIEN. Gouache.

NOTICES
ET
TABLES

NOTICES

ART BYZANTIN (VIᵉ siècle) — L'Archange saint Michel.   1

Mosaïque. Basilique de Saint-Apollinaire-in-Classe, Ravenne.

Placé très haut sur l'un des montants qui soutiennent l'abside, l'archange Michel de Saint-Apollinaire triomphe parmi les ors et les lapis qui donnent à cette église une mystérieuse splendeur. Il tient comme un sceptre le labarum constantinien où l'on voit écrit en caractères grecs de l'époque : « Saint, Saint, Saint », triple cri de victoire sur les armées sataniques. A titre de chef des milices célestes, saint Michel a sa place dans les basiliques de Ravenne qui glorifient le christianisme ayant vaincu « la bête », après trois siècles de persécutions.

L'attitude de l'archange, majestueuse, un peu raide, les pieds écartés, la simplicité linéaire des formes sont déjà byzantines, beaucoup moins cependant que dans la basilique San Vitale (de la même ville) par exemple, où les personnages ont des traits barbares et des vêtements tombant en plis rectilignes.

Les mosaïques de Saint-Apollinaire demeurent dans la tradition des catacombes, les visages y sont de type un peu indécis et le mouvement des toges est encore romain, mais l'extraordinaire richesse de la matière et les jeux de lumière créés par tous ces cubes d'or, de verre translucide ou de marbre précieux, créent une atmosphère tout orientale.

ART ROMAIN (VIIIᵉ siècle ?) — Un Chérubin.   2

Fresque. Sainte-Marie-Antique, au Forum romain.

Les yeux dont cette tête d'ange est auréolée impliquent qu'il s'agit d'un Chérubin; les Chérubins, d'après le pseudo-Denys (dont on parlera plus loin), sont appelés à « contempler la lumière dans son éclat originel et la beauté incréée dans son splendide rayonnement ». Des yeux symbolisent souvent ces intelligences pénétrantes; de même que des flammes symbolisent l'amour des Séraphins. Les Chérubins sont au second degré de la plus haute hiérarchie céleste.

L'église de Sainte-Marie-Antique, située au Forum romain, est sans doute un ancien monument païen transformé à l'usage chrétien; elle possède des fragments de fresques des VIᵉ, VIIᵉ et VIIIᵉ siècles. Wilpert, dans ses magnifiques albums sur les mosaïques et fresques de Rome, attribue le chérubin de Sainte-Marie-Antique au VIIIᵉ siècle. Cependant le type encore tout romain de cette tête incline à penser qu'elle est plus primitive. La coloration n'est pas trop altérée, elle est dans les tons brun rose et ocre avec des ombres verdâtres.

CAVALLINI (peignait à Rome en 1280). — Un Séraphin.   3

Détail du Jugement dernier. Sainte-Cécile du Transtévère, Rome.

Peinte environ vers 1293, cette fresque fut découverte en 1900, lors de travaux exécutés dans le chœur des bénédictines résidant à Sainte-Cécile. L'ensemble de la composition, représentant le Jugement dernier, s'étend sur toute la largeur de l'abside (14 mètres), mais elle n'est intacte que par fragments. Le séraphin que l'on voit ici est l'un des plus beaux; Cavallini (qui fut aussi mosaïste) lui a donné une majesté toute romaine, mais spiritualisée par une pureté grave et céleste.

D'après le pseudo-Denys, qui écrivit (probablement vers le Vᵉ siècle) un traité de la « Hiérarchie céleste », les anges sont divisés en neuf chœurs répartis en trois groupes dont les supérieurs communiquent aux inférieurs l'illumination divine.

Les *Anges*, les *Archanges* et les *Principautés* sont ceux qui touchent au monde de plus près et portent aux hommes les messages de Dieu. Les *Puissances*, les *Vertus* et les *Dominations*, d'une « spiritualité plus affranchie », reçoivent plus immédiatement la lumière et les « secrets que les esprits se livrent entre eux »; par ailleurs, la tradition donne à cette hiérarchie, principalement aux Vertus des cieux, la conduite des astres et des forces de l'atmosphère. La troisième hiérarchie, enfin, *Trônes*, *Chérubins* et *Séraphins*, se compose d'intelligences directement tournées vers Dieu et contemplatives. Au sommet, les Séraphins sont des flammes brûlantes, « dont le nom signifie lumière et chaleur ».

L'amour est la fonction essentielle du Séraphin et la plus haute. Le séraphin de Cavallini a les yeux fixés dans l'adoration, ses ailes triples sont comme des flammes et il porte l'étole sacerdotale, car il est dit (toujours chez Denys) que le premier des séraphins « porte la robe flottante des pontifes », et ailleurs: « Ne reconnaît-on pas plus nettement encore la fonction hiérarchique des anges en voyant un chérubin placer les charbons ardents dans les mains d'un autre (ange) revêtu de l'étole sacrée? »

ART CHRÉTIEN (ve siècle). — Les Anges de l'Annonciation et l'Ange apparaissant à Joseph. **4**

Mosaïque. Sainte - Marie - Majeure, Rome.

Cette suite de scènes sur le mystère de l'Incarnation orne en frise l'arc de Sainte-Marie-Majeure (les anciennes basiliques ont toutes cet arc triomphal, précédant le chœur, il célèbre la victoire du christianisme sur Rome païenne).

Avant la moitié du cinquième siècle, le type iconographique des anges n'était pas fixé, ceux de Sainte-Marie-Majeure sont peut-être les premiers qui apparaissent en pied, munis de deux ailes. A Sainte-Pudentienne, les mosaïques de la fin du quatrième siècle reproduisent bien la vision d'Ézéchiel : les quatre animaux ailés dont l'un possède une tête d'homme, mais le personnage marchant sur la terre comme les humains et muni d'une paire d'ailes ne se voyait pas encore dans les basiliques. Ce type, devenu traditionnel, n'est d'ailleurs point dépeint dans la Bible. Les anges y sont de jeunes hommes, comme Raphaël lorsqu'il apparut à Tobie, en général vêtus de blanc, tels les anges de la Résurrection ; il n'est pas question d'ailes sauf pour les séraphins qui en ont six et sont pratiquement indescriptibles. C'est du paganisme, de l'Hellade et de l'Orient, qu'est certainement venu le type angélique de l'iconographie chrétienne. Les Victoires grecques, comme les génies assyriens, avaient deux ailes puissantes ; le dieu Mercure, lui aussi, était ailé ; on a trouvé des médaillons où, son effigie demeurée, le nom de Michel remplaçait le sien ; quelque possesseur de pièce rare, devenu chrétien, avait sans doute trouvé ce moyen de garder sans péché le médaillon auquel il tenait. A Sainte-Marie-Majeure, les anges ont encore le type romain et sont vêtus à l'antique. Gabriel vole au-dessus de la Vierge à laquelle il annonce l'Incarnation. Marie n'est point voilée, c'est une matrone couronnée telle une impératrice, elle tient en ses mains l'écheveau de laine pourpre qui, d'après les évangiles apocryphes, la fit élire reine au milieu de ses compagnes. A droite, saint Joseph, qu'un ange rassure au sujet de la virginité de la fiancée, tient la verge que la légende a fait fleurir miraculeusement, le désignant ainsi pour époux de Marie.

ÉCOLE DU MONT CASSIN (XIIe s.). — Saint Michel. **5**

Fresque. Tympan de la Basilique de Sant' Angelo in Formis, près de Capoue.

Saint Michel. **6**
Détail du Jugement dernier. Fresque. Abside de la Basilique de Sant' Angelo in Formis, près de Capoue.

Dom Desiderius, abbé du Mont Cassin, qui avait fait de son église abbatiale la merveille de l'Occident, entreprit de reconstruire le sanctuaire de Sant' Angelo-in-Formis, au pied du mont Tifain, près de Capoue. Il bâtit donc une petite basilique à trois nefs, destinée à raconter la Bible aux gens qui ne pouvaient la lire, autant qu'à faire renaître un foyer de *laus perennis*, la perpétuelle louange qui est l'idéal bénédictin.

Sant'Angelo fut donc orné, non de mosaïques, mais de fresques qui représentent soixante scènes de l'Évangile et soixante-dix sujets bibliques. Le Christ en gloire trône à l'abside, comme dans les basiliques primitives, mais le portrait de Desiderius n'est pas oublié. De style néo-grec, peintes par des élèves des mosaïstes grecs, ces fresques ont leur cachet particulier. Un grand nombre d'anges courent sur les murailles, sans compter ceux très nombreux du *Jugement dernier* qui décore la paroi intérieure de la façade. Les deux saint Michel choisis : le premier du tympan (planche 5) (au coloris clair et blond), le second dans l'abside (planche 6), sont surtout remarquables par la majesté décorative de leurs ailes.

Le problème des « ailes » dans l'iconographie angélique ne se pose pas pour Dom Desiderius. On a vu que les anges de la Bible étaient des adolescents non munis d'ailes (sauf les séraphins), mais que le paganisme avait apporté les siennes, attachées aux Génies, aux Victoires, à Mercure, et que les anges sans ailes sont devenus une exception dans l'art religieux. Saint Michel, représenté ici en costume impérial, avec le sceptre et le globe, doit plus que nul autre ange en être muni. Nul ne l'a vu marcher sur la terre comme Raphaël, il a combattu dans le ciel contre Satan, donc il vole.

ART GRÉCO-BYZANTIN DE SICILE (début du XIIIe siècle). — Jacob avec un Ange sur la route. **7**

Mosaïque. Basilique de Monreale.

Si nous ne savions par une inscription qu'il s'agit de Jacob, nous aurions cru à une représentation de Tobie, conduit par Raphaël. Le texte illustré ici est assez peu connu. Jacob, quittant son beau-père Laban, s'en retournait dans son pays « *et les anges du Seigneur furent à sa rencontre* ». Jacob avait donc de fréquents rapports avec les esprits célestes puisque, par ailleurs, il lutta avec l'un d'eux et que, dans sa vision mystérieuse de l'échelle tombant du paradis, il aperçut les foules angéliques.

La basilique de Monreale, près de Palerme, est la Bible en image la plus complète du monde. Au sommet de l'abside trône le Christ en gloire, la nef est consacrée à la Genèse (le détail du voyage de Jacob, représenté ici, se trouve au-dessus d'une des arches romanes et se détache en coloris bleus et verts sur fond d'or). L'histoire du Christ et des Évangiles remplit les bas-côtés et le transept. Dans les absides latérales sont glorifiés les apôtres Pierre et Paul, enfin l'on aperçoit Guillaume II, le roi normand, offrant à Dieu l'église qu'il vient de faire construire. Si les mosaïques de Monreale sont d'un art un peu décadent où se mêlent les influences orientales, grecques et musulmanes, leur ensemble est d'une richesse inouïe, l'or y ruisselle. Bien loin de l'austère et statique beauté de Ravenne, elles intéressent surtout par le mouvement des personnages et l'originalité naïve de l'inspiration.

ÉCOLE FRANCO-ESPAGNOLE (XIIe siècle). — La Chute des mauvais anges. **8**

Apocalypse de Saint-Sever. Manuscrit latin 8878. Bibliothèque nationale, Paris.

La célèbre *Apocalypse* de la Bibliothèque nationale tire son nom de l'abbaye de Saint-Sever (dans le département actuel des Landes). Elle fut exécutée par ordre de Dom Grégoire, qui tint la crosse abbatiale entre

1028 et 1078. Les enluminures du manuscrit sont apparentées à cette école hispano-méridionale de la France, qui s'appliquait à copier et à illustrer un certain commentaire sur l'Apocalypse, attribué à « Beatus », prêtre espagnol du VIIIe siècle. De l'époque où fut composé le commentaire, il ne subsiste qu'un manuscrit, deux autres sont du siècle suivant, mais ils réapparaissent plus nombreux au Xe et surtout au XIe siècle, sans doute parce que les terreurs de l'an 1000 tournaient alors vers les prédictions apocalyptiques de la fin du monde la pensée des fidèles.

Le feuillet qu'on voit ici représente la victoire de Michel et de ses anges (les sept qui sont toujours devant la face de Dieu) sur « le grand dragon le serpent ancien » dont le corps monstrueux traverse en partie la page. Sur le plan inférieur on voit le démon précipité en enfer avec ses suppôts. Dans le coin à droite, se trouve représenté l'un des passages les plus mystérieux de l'Apocalypse. « Satan s'était dressé devant la femme qui allait enfanter, mais la femme donna le jour à un enfant mâle et, dit le texte, *l'enfant fut enlevé auprès de Dieu et auprès de son trône.* »

Les coloris violents, où dominent le rouge et le bleu, et le style du dessin rappellent l'art oriental. L'influence mauresque avait dépassé les Pyrénées et l'on trouve une inscription arabe sur le manuscrit de Saint-Sever.

ART ROMAN FRANÇAIS (XIe siècle). — Saint Michel et ses anges devant le dragon. 9

Fresque. Église de Saint-Savin-sur-Gartempe, Vienne.

Fondée par Charlemagne, l'abbaye de Saint-Savin avait une belle église, encore conservée. Elle est à la fois légère, lumineuse comme une chapelle gothique et d'un style roman grave et pur. Jadis entièrement couverte de fresques, telle l'église du Mont Athos, et racontant l'histoire religieuse du monde, cette église nous offre encore les peintures murales les plus anciennes et cependant les mieux conservées de l'art roman en France.

Le mouvement extraordinaire du *Combat de saint Michel* et de ses anges contre le dragon (Satan), représenté ici, accuse chez le moine peintre un magnifique tempérament artistique. Dans ce fragment qui décore le porche et illustre l'Apocalypse, l'artiste semble avoir fait une conjonction de deux épisodes du livre mystérieux. Celui des cavaliers terribles montant un cheval blanc, un cheval roux, un cheval noir et un cheval « pâle », lesquels cavaliers portent à la terre les fléaux de la vengeance divine. D'autre part, il est dit au même livre que saint Michel et ses anges combattent contre le dragon (visible ici), mais il n'est pas question dans l'Écriture que le combat de Michel soit équestre; on connaît peu d'autres Saint Michel à cheval, celui d'Auxerre est de la même époque, mais bien moins vigoureux.

Un moine de l'abbaye de Saint-Savin, qui se dit peintre et élève des Grecs (peut-être l'auteur des fresques ou d'une partie ?), nous donne ses procédés de peinture dans un livre intitulé : *Diversarum artium cedula.* Le fond est le même que dans le « Guide de la peinture » du Mont Athos. On peint sur le mur humide avec des couleurs mêlées de chaux. Les tons sont l'ocre jaune, l'ocre rouge, le vert, le gris, le blanc et le rose, toutes couleurs parfaitement en harmonie avec les reflets de la pierre et qui, par conséquent, s'insèrent à merveille dans l'architecture.

CIMABUE (1240-1320). — La Vierge aux Anges. 10

Musée du Louvre, Paris.

Un Ange. 11

Détail du précédent.

Cenni di Pepo, dit Cimabue, était un riche et magnifique seigneur établi en Toscane, mais formé par les Grecs; il consacra sa vie à instaurer l'art byzantin en Italie. On rapporte que, se promenant un jour dans la vallée du Mugello, près de Florence, il y rencontra un pâtre dessinant ses moutons sur des briques à l'aide d'une pointe de couteau; le pâtre était Giotto et Cimabue, intéressé par ses esquisses, l'aurait pris avec lui pour en faire un grand peintre. Cette légende est sans fondements sérieux, mais Cimabue eut cependant une très grande influence sur Giotto, qui le surpassa.

Dante en parle ainsi dans *la Divine Comédie* :

Credette Cimabue nella pintura
Tener lo campo, ed ora ha Giotto il grido
Si che la fama di colui oscura.

(Cimabue crut tenir le champ de la peinture, et maintenant c'est à Giotto qu'est la vogue, de sorte que la renommée de l'autre est obscurcie.)

La Vierge aux Anges du Louvre, qui provient de Pise, est peut-être l'une des premières transpositions italiennes de l'iconographie byzantine.

Elle est de la première manière du peintre qui s'assouplit plus tard dans les fresques d'Assise.

Malgré la facture grecque du dessin et un reste de rigidité byzantine, l'ange reproduit planche 11, celui qui se tient en haut *à droite du trône*, n'est pas dépourvu d'expression. Sa grâce et sa majestueuse mélancolie seront celles des premières peintures de Duccio, de même que son mouvement de tête deviendra celui des futures madones siennoises.

L'or et de beaux coloris roses et feu font de ce tableau (l'un des moins retouchés de Cimabue) une œuvre qui rappelle beaucoup les icones ornant les iconostases des églises grecques.

De petits médaillons insérés dans le cadre du tableau représentent les apôtres.

CIMABUE (1240-1320) ou DUCCIO (1260-1320). — Tête d'ange. 12

Détail d'une Madone au Trône. Chapelle Rucellaï, Sainte-Marie-Nouvelle, Florence.

La Madone de la chapelle Rucellaï fut portée triomphalement à Sainte-Marie-Nouvelle avec une joie populaire si grande que le faubourg habité par le peintre en prit, dit-on, son nom de « Borgo Allegri ». Bien qu'en 1854 un texte de contrat découvert par Gaetano Milanesi ait prouvé qu'il faut attribuer à Duccio, et non à Cimabue, la Madone de Sainte-Marie-Nouvelle, on continue à la désigner indifféremment comme étant l'œuvre de l'un ou de l'autre. Il est vrai que le sujet et la composition de la *Madone au Trône* du Louvre (Cimabue) et de celle de Sainte-Marie-Nouvelle (Duccio) sont identiques. Toutefois, en regardant le détail donné ici, cette tête d'ange levée, douce et déjà expressive, et en la comparant à la planche précédente, on jugera de la différence de mouvement et d'expression, tout en faveur de Duccio.

ANDRÉ ROUBLEV (1390-1430?). — Les Anges de la Trinité. I3

Icone. Monastère Laure-de-Saint-Serge, près de Moscou.

Plus de cent ans après l'inauguration de la *Vierge en majesté* de Duccio, à Sienne, c'est-à-dire vers 1420 environ, André Roublev, moine au couvent moscovite du Sauveur-Andronievski, peignait les anges de la Trinité. Le décalage d'un siècle entre les deux œuvres n'est pas sensible grâce à la pérennité de l'art gréco-byzantin en Russie. Les statuts primitifs réglant l'art religieux : hiératisme, interdiction des modelés charnels, etc., n'ont, en effet, jamais été rapportés dans l'Église orthodoxe. Le rythme si souple, harmonieux et impeccable de la composition de Roublev trahit cependant une habileté à laquelle ne pouvaient atteindre les néo-byzantins du XIVe siècle. L'icone illustre l'un des textes les plus mystérieux de la Genèse : « *L'Éternel apparut à Abraham au chêne de Mambré* (voir l'arbre minuscule et schématique au-dessus de l'ange central). *Comme il était assis à l'entrée de sa tente...* (Abraham) *leva les yeux et aperçut trois adolescents debout devant lui... Lorsqu'il les eut vus, il courut au-devant d'eux et dit : « Seigneur, ne passe pas au delà. »* Ensuite, le patriarche leur fit servir « trois gâteaux de fleur de farine avec du beurre et du lait ».

Les anges apparus figurent, d'après la tradition grecque et saint Augustin, les trois personnes de la sainte Trinité. Le patriarche l'a-t-il compris, qui ne s'adresse qu'à une seule : « Seigneur, ne passe pas au delà » ?

La pure mysticité qui baigne l'œuvre de Roublev s'accorde à la spiritualité du texte. C'est une « icone de place », c'est-à-dire que dans l'iconostase où elle fut insérée elle devait toujours rester, à la différence des icones interchangeables, selon le cycle liturgique. Lorsque, en 1904, le peintre Gourianov fut chargé de la restaurer, il tira de sa gaine d'or, non pas l'œuvre originale, mais une peinture complètement refaite. En 1920 seulement, grâce à la mission de J. Grabar, de savants grattages permirent de retrouver la Trinité à peu près telle qu'elle sortit des mains de Roublev au XVe siècle.

DUCCIO DI BUONINSEGNA (1260-1320). — La Tentation du Christ. I4

Collection Benson, Londres.

Le 9 juin 1311, les affaires étaient interrompues à Sienne. L'évêque suivi de toute la ville conduisait processionnellement à la cathédrale la *Vierge en majesté* peinte par Duccio di Buoninsegna. Pour la première fois, les Siennois admiraient, trônant au milieu des anges et des saints, une madone — la leur — dont la raideur byzantine s'adoucissait d'une expression de grâce humaine et tendre. Sur l'autre face du panneau, Duccio avait détaillé la vie du Christ en une suite de petits tableaux juxtaposés à la manière des miniaturistes du Mont Cassin. *La Tentation du Christ* est l'un des plus beaux. Il représente l'épisode de l'Évangile raconté en saint Luc : Satan, montrant à Jésus tous les royaumes de la terre (figurés en villes synthétiques), lui dit : « Je vous donnerai toute cette puissance... si vous m'adorez. » Jésus répond : « Il est écrit : tu adoreras le Seigneur ton Dieu. » Déjà la fin de la tentation est proche et les anges s'avancent pour servir Jésus. Le démon a la figure puissante et mauvaise qu'on apercevait dans quelques peintures angéliques, mais ordinairement cette tête surgissait

seule. Nous voyons ici se fixer le type traditionnel de l'ange des ténèbres avec les pieds d'oiseau, les mains crochues et les ailes dentelées comme celles des chauves-souris. Encore gréco-byzantine par le type des personnages et sa belle simplicité, cette composition apparaît déjà très assouplie, proche de la vie avec des détails d'une inspiration toute gothique.

Les trois Marie au sépulcre. I5

Cathédrale de Sienne.

Ce tableautin sur bois fait partie, comme le précédent, d'une suite de la vie du Christ peinte sur une face du panneau opposée à celle où trône la « Maesta » (Vierge en majesté). C'est l'un de ceux dont la composition, aux lignes nettes et si sobres, est le plus harmonieusement rythmée. Fra Angelico dans la fresque sur le même sujet, qu'il peignit à Saint-Marc (Florence), a repris presque exactement l'attitude triomphante de l'ange, assis sur le sépulcre vide. Certes, les personnages du moine florentin ont une grâce, une acuité de vie individuelle ignorées de Duccio, mais ce dernier exprime le mystère de Pâques avec plus de grandeur et de simplicité majestueuse. « Marie de Magdala, Marie mère de Jacques et Salomé, est-il dit en saint Marc, achetèrent des aromates afin d'aller embaumer Jésus... Entrant dans le sépulcre, elles virent un jeune homme assis à droite, vêtu d'une robe blanche... Il leur dit : Ne craignez pas, vous cherchez Jésus... il est ressuscité. » Sur le tableau siennois, l'ange montre le sépulcre vide et les Saintes Femmes, encore un peu épouvantées, tiennent leur vase à parfum devenu inutile.

GIOTTO (1266-1337). — Le Songe de saint Joachim. I6

Fresque. Chapelle Scrovegni, Padoue.

Ambrogio di Bondone, dit Giotto, est né à Vespignano, près de Florence, vers 1266; il peignit à Rome en 1298-1300 et dut y rencontrer Cavallini et Cimabue. Vers 1305-1306, il était à Padoue, où il décorait l'église dite de l'Arena (du nom de la place où elle se trouve), mais fondée par les Scrovegni. Très impressionné par les sculpteurs, surtout par Jean de Pise, Giotto délaisse la convention byzantine et peint des visages aux traits forts (en général avec les yeux légèrement bridés), des corps trapus et pleins autour desquels s'enroulent des vêtements bien enveloppants, de façon à créer une masse se détachant avec netteté sur des fonds bleus.

Toutes les compositions de Giotto sont aérées (les personnages nettement séparés les uns des autres). Elles sont admirablement simples, sobres de lignes comme dans la statuaire; mais la vie les anime, en même temps qu'une poésie primitive et fraîche qui convient aux scènes évangéliques reproduites par le peintre. A Padoue, c'est l'histoire de l'Incarnation et de la Rédemption que Giotto a fixée, en fresques émouvantes dans leur naïveté, sur les murs de l'Arena. Il commence, en suivant en cela le protévangile de saint Jacques, par l'histoire de saint Joachim, père de la Vierge Marie. Giotto le représente endormi dans la montagne où il gardait ses troupeaux, quand un ange lui apparaît en songe pour lui annoncer qu'une enfant prédestinée (la Vierge Marie) naîtra de lui malgré son grand âge. Cette scène a la candeur poétique d'une page de saint Luc.

Les Anges pleurant le Christ mort. **17**

Détail d'une fresque. Chapelle Scrovegni, Padoue.

On a parlé du « réalisme » de Giotto; le mot est peut-être prématuré, car il y a encore beaucoup de convenu dans son œuvre. Les anges pleurant le Christ ont cependant une expression qui rend très exactement les désespoirs d'enfants; l'ange central gonflant sa poitrine sous l'effort des cris et des sanglots, tout particulièrement.

Les anges de Giotto ont cette singularité d'avoir un visage très accusé qui s'accroche à des flammes immatérielles. Le peintre s'est souvenu du psaume où il est dit : « Dieu fait des esprits ses envoyés et des *flammes* ardentes ses ministres. » Il a pris à Cavallini l'idée de peupler le ciel sombre du Calvaire d'un peuple d'anges; mais ceux de son maître romain ont un rôle beaucoup plus purement décoratif, ils apparaissent comme des oiseaux paradisiaques sans rien de l'expression humaine de ceux peints par Giotto.

GIOTTO (ou son école) (début du XIVᵉ siècle). — Saint François reçoit les stigmates. **18**

Musée du Louvre, Paris.

Ce tableau, qui reproduit avec beaucoup moins de douceur la fresque de l'église d'Assise, doit venir de l'église San Francisco de Pise.

Giotto, dans ses dernières années, peignait sur commande des tableaux pour des monastères et des églises en reprenant d'ailleurs d'anciens sujets. La stigmatisation est un des thèmes de la vie de saint François dont les peintres se sont le plus souvent inspirés. Le Poverello s'était retiré sur le mont Alverne pour s'y préparer à la fête de saint Michel, quand une nuit le Christ lui apparut « *sous la figure d'un séraphin* »; des rayons d'or s'échappaient des plaies du crucifié et, tombant sur les mains et les pieds et le côté du saint, les reproduisaient en stigmates sanglants. Tels les esprits de la plus haute hiérarchie angélique décrits par Isaïe, le Christ avait six ailes, deux au-dessus de sa tête, deux pour voler, deux autres pour couvrir son corps.

Le tableau est peint sur fond d'or, avec un paysage schématique (et par conséquent encore un peu byzantin) qui figure la nudité rocheuse du mont Alverne. Les tons dominants sont brique et roses; le personnage de saint François a plus de pathétique que de charme.

Bernardo DADDI (vers 1330). — L'Annonciation. **19**

Musée du Louvre, Paris.

Daddi était contemporain de Giotto et peut-être son élève; en tout cas il travailla aussi à l'Arena de Padoue, où on lui doit les fresques du chœur (ne pas confondre avec Gaddi qui, lui, travaillait certainement avec Giotto). Il mourut prématurément en 1348, la même année que Lorenzetti, et sans doute comme lui de la peste. Si Daddi est bien l'élève de Giotto, il s'est dégagé de son maître pour subir l'influence siennoise; la grâce un peu penchée d'un Simone di Martino est là plus sensible que le rythme architectural du premier maître florentin. Dans la petite *Annonciation* du Louvre, l'attention est attirée par les deux anges (au lieu d'un) qui viennent saluer la Vierge. Le premier est bien Gabriel (reconnaissable à son lis), le second est-il l'ange gardien de Marie? Il serait alors auprès d'elle. Le cas n'est pas unique de ces annonciations à deux anges au XIVᵉ siècle, mais nous n'en n'avons pas l'explication, non plus que de la silhouette doublée du saint Michel terrassant le dragon que nous avons vue sur la fameuse fresque de Saint-Savin.

ORCAGNA (1308-1368). — Le Triomphe de la Mort. **20**

Détail. Campo Santo de Pise.

Le Campo Santo de Pise est un vaste cloître gothique que les dominicains firent construire au XIVᵉ siècle, pour entourer leur cimetière; ce cimetière était rempli de terre sainte, rapportée de Jérusalem. Tout autour, les religieux, alors très riches, firent peindre des fresques.

Beaucoup furent de Francesco Traini; on attribue plutôt *le Triomphe de la mort* à son maître Orcagna, lequel avait décoré avec lui Sainte-Marie-Nouvelle de Florence.

Le nom d'Orcagna est une déformation populaire d'Arcangelo, archange, vrai nom de l'artiste.

Le Triomphe de la mort se divise en deux parties, suivant l'architecture du cloître rectangulaire; dans la première partie on voit d'élégants chasseurs arrêtés soudain devant trois tombes ouvertes laissant apparaître des cadavres hideux, dont celui d'un roi, reconnaissable à sa couronne. La seconde division architecturale, celle reproduite ici, met en scène de jeunes seigneurs et des dames de haut lignage, richement vêtus et jouissant, sous de frais ombrages, des douceurs de la musique, de la jeunesse et de l'amour. Cependant, deux anges de mort planent au-dessus d'eux; l'impitoyable faucheuse est à leur porte, les menaçant de sa faux; la moisson des morts gît à côté et dans les airs se livre une lutte tragique entre les bons et les mauvais anges; ils s'arrachent les âmes, qui pour le ciel, qui pour l'enfer. Si nous sommes encore très près de Giotto quant à la date, la facture beaucoup plus habile et variée apparaît très différente, l'inspiration surtout qui nous fait déjà songer à la chute des mauvais anges de Breughel.

Simone di MARTINO (1283-1342) et Lippo MEMMI. — L'Archange Gabriel saluant Marie. **21**

Détail de l'Annonciation. Musée des Offices, Florence.

Élève de Duccio, Simone di Martino égale Giotto en célébrité comme en talent; il a moins de force, d'abondance, mais beaucoup plus de grâce. L'*Annonciation*, dont l'ange est ici reproduit, fut peinte en collaboration avec son beau-frère, Lippo Memmi. Le visage de l'ange, comme celui de la Vierge, est visiblement de la même main. C'est le type siennois dans toute sa pureté, petite bouche triste et longs yeux pleins de caresses; c'est aussi celui que nous retrouverons chez toutes les madones de Simone, sans compter sa merveilleuse sainte Claire, peinte à fresque dans l'église inférieure d'Assise. La participation de Lippo Memmi est vraisemblablement dans le costume (d'ailleurs admirable) et les ailes de l'ange Gabriel. La Vierge du même tableau est encore un peu byzantine, malgré l'extrême souplesse du mouvement craintif de tout son corps; sa longue robe unie n'est ornée que d'une mince bordure, comme celles des madones primitives, et généralement les drapés de Simone sont ainsi, très simples; on peut donc supposer que les magnifiques vêtements d'or vert et la cape flottante, peut-être aussi les ailes très travaillées (avec des yeux vert bleu et dorés comme les plumes de paon) sont de Lippo Memmi. Dans son ensemble, cet ange couronné de feuillage est plus chargé que les personnages peints habituellement par Simone; mais, tous, ils ont le même air un peu égaré d'apparition surnaturelle qui donne aux œuvres de Simone di Martino cette « atmosphère de magie ».

Simone di MARTINO (1283-1342). — Ange offrant des roses.   22

Détail de la Vierge en Majesté. Fresque. Palais public, Sienne.

Dans l'admirable geste d'offrande de cet ange, nous trouvons toute la noblesse humaine et toute la ferveur spirituelle de Sienne, la ville médiévale qui fut peut-être la plus riche de vie intérieure. Il est aux pieds de la Vierge qui trône sous un dais, comme reine de la ville; *Sena vetus civitas Virginis*, lisait-on sur les monnaies de la république siennoise : « Sienne cité de la Vierge. » L'ange couronné de roses qui lui rend hommage incarne la dévotion tendre et chevaleresque de ce peuple également apte à la sainteté, à la volupté et au crime. Chaque soir, les échevins allaient déposer les clefs de la ville devant la madone de la cathédrale, quels qu'aient été d'ailleurs les actions héroïques ou les scandales du jour. Simone di Martino semble, de tous les peintres siennois, celui qui a dégagé la spiritualité la plus tendre et la plus pure de la cité de sainte Catherine. Sa *Vierge en majesté* est rivale de celle de Duccio.

L'œuvre du palais public de Sienne est de la première manière du peintre, avant son départ pour Avignon et ses travaux en France, où il mourut vers 1342.

Masolino di PANICALE (1363-1447). — L'Archange Gabriel.   23

New-York, collection de lord Duveen.

Masolino, né à Panicale, dans le Val d'Elsa, était donc, par sa naissance, plus près de Sienne que de Florence; il devint pourtant très florentin et maître de Masaccio. Quand il vint peindre à Rome, c'est l'esprit florentin qu'il y apporta et qu'il y fit triompher. Fra Angelico semble beaucoup plus près de lui que de Masaccio. L'ange Gabriel (fragment d'une Annonciation) reproduit ici peut passer pour être du maître de Fiesole si l'on regarde seulement la reproduction en noir; à le bien examiner cependant, le quelque chose de spirituel, d'aisé, d'aérien qui anime délicieusement les visages de l'Angelico est beaucoup moins sensible dans cet ange pourtant très angélique; le geste est moins dégagé aussi. Par ailleurs, sa couleur est superbe, presque sensuelle et très loin des colorations plates, pastellisées, du peintre de Saint-Marc.

La robe est rose et noire, les ailes d'or, les cheveux très blonds, les chairs rougeâtres, le pavement est de porphyre, d'ophite et de marbre blanc; le fond est gris brun rouge d'un côté et brun violacé de l'autre. L'audace des tons fait penser déjà aux peintres modernes.

FRA ANGELICO (1387-1455). — L'Ange Gabriel saluant Marie.   24

Détail de l'Annonciation. Fresque. Saint-Marc, Florence. — 2

Guido di Pietro, né en 1387 dans la vallée du Mugello (là même où naquit Giotto), près de Florence, entra jeune au couvent dominicain de Fiesole. On l'appela Fra Giovanni, frère Jean, lors de sa vêture, mais il devait demeurer célèbre sous le nom de Fra Angelico, le frère Angélique. La pureté de sa vie autant que la candeur des visages qu'il peignit et la multitude d'anges envolés de son pinceau lui valurent cette appellation. Il eut son atelier à Fiesole et peignit d'abord ces grandes miniatures où dominent les ors et les bleus (le *Couronnement de la Vierge*, au Louvre, est l'une des plus belles). Plus tard, Côme de Médicis, qui faisait construire à Florence le couvent dominicain de Saint-Marc (où l'observance devait être plus rigoureuse qu'à Sainte-Marie-Nouvelle), y fit peindre des fresques. Toutes les cellules des religieux furent ornées par la main de Fra Angelico ou de ses élèves. L'*Annonciation* au bel ange grave, à robe lilas rosé, est peut-être celle qui a le plus de noblesse et de doux recueillement. Gabriel ne parle plus, il demeure muet d'admiration.

Les fresques de Fra Angelico à Saint-Marc sont plus sobres et moins éclatantes que ses tableaux, mais plus largement traitées; elles ont un coloris fluide et doux, dégagent une mysticité très pure.

Deux Anges musiciens.   25

Détail du Tabernacle des Lenaioli. Musée Saint-Marc, Florence.

Autrefois au musée des Offices, le *Tabernacle des Lenaioli* se trouve maintenant à Saint-Marc, où sont rassemblées les œuvres de Fra Angelico. Au fond du tabernacle en forme d'ogive, la Vierge avec l'Enfant trône sous une draperie d'or; douze *Anges musiciens* encadrent dans une étroite bordure le sujet principal. Ces deux beaux anges en sont extraits et se font face. L'un, avec ses longues boucles blondes, a un visage attendri et presque triste (ce qui est rare chez l'Angelico), il joue du tambourin; l'autre, ravi par l'admiration, a retiré son instrument de sa bouche et contemple la Madone. Tous deux sont de vivants joyaux, brillants et constellés d'or.

La Ronde des Anges et des Élus.   26

Détail du Jugement dernier. Musée des Offices, Florence.

Un Ange mène la danse des Élus.   27

Détail du précédent. Musée des Offices, Florence.

Le Jugement dernier, dont la *Ronde des Anges* au paradis est le plus célèbre détail, fut l'une des premières œuvres connues de l'Angelico. L'ensemble est traité comme une grande miniature avec des couleurs claires et brillantes, rehaussées de nombreux mouchetages d'or; des rayons, d'or également, nimbent la théophanie centrale et souvent le front des élus; bref, c'est le peintre dans sa première manière, la manière gothique; les fresques plus larges, aux tons adoucis de Saint-Marc, le révéleront plus tard sous un jour nouveau. Pour son *Jugement dernier*, l'Angelico s'inspira du peintre siennois Giovanni di Paolo avec lequel il a d'ailleurs beaucoup de points communs. Giovanni di Paolo peignit également une ronde d'élus, où beaucoup des mêmes gestes (le dominicain embrassé par un ange en particulier) furent ensuite reproduits par le peintre de Fiesole. Cependant, tandis que Giovanni dresse des personnages à l'allure hiératique, un peu figés dans leur béatitude, Fra Angelico fait danser sa ronde et voler ses anges dans la vie et dans la joie. Sans doute, avant même le long séjour qu'il fit en Ombrie, il connaissait la « laude » fameuse du poète, fils de saint François, ce Jacopone da Todi qui chantait :

> *Une ronde se fait au ciel*
> *De tous les saints en ce jardin,*
> *En cette ronde vont les saints*
> *Et les anges...*

Les anges dansent. Du moins le bienheureux Suso, du même ordre que Fra Angelico, et dont tous les religieux lisaient les œuvres au xvᵉ siècle, l'affirme. Il les a vus dans son extase « jouant le jeu des joies » et « dansant la danse mystérieuse, flux et reflux vers l'abîme de la Trinité ». Fra Angelico a concrétisé la conception un peu abstraite du moine rhénan du xivᵉ siècle et son ange mène la danse (planche 27) avec toute la gentillesse florentine de son temps.

Fra Angelico fit deux séjours à Cortone. Le premier quand il était frère étudiant, pour y faire sa théologie, car son monastère de Fiesole n'était pas un couvent d'études. Son second séjour, d'environ cinq ans, lui fut un refuge quand il dut fuir l'antipape Alexandre V, imposé par le gouvernement de Florence. C'est aussi pendant cet exil qu'il séjourna à Foligno, près d'Assise, et connut les peintures de la basilique.

L'Ange Gabriel saluant Marie.   28
Détail de l'Annonciation. Chapelle du Gesu, Cortone.

L'Annonciation.   29
Chapelle du Gesu, Cortone.

L'*Annonciation*, au contraire (planche 29), est un tableau isolé ; il le peignit avec la minutie brillante de sa première manière et peut-être pendant son séjour d'études à Cortone ; le tableau rappelle par un détail que le moine peintre se trouvait alors dans un couvent de théologie. En effet, sur un étroit panneau de son *Annonciation*, il a représenté Adam et Ève chassés du paradis. L'Angelico marque ainsi qu'il faut lier le mystère de l'Incarnation au mystère de la Rédemption. Adam et Ève ont péché, l'humanité a perdu la foi. Jésus, annoncé par Gabriel à Marie, vient pour réparer la faute du premier homme et de la première femme.

La prédelle de cette Annonciation est une suite de tableautins ravissants, représentant la vie de la Vierge et la légende de saint Dominique.

On dirait que l'*Ange de cette Annonciation* (planche 28) a subi l'influence de Lorenzetti, le premier peintre siennois du mouvement, dont on admire dans la basilique de Saint-François une *Vierge enseignant l'Enfant Jésus* avec une mimique tout italienne. Beaucoup moins statique que les autres anges de l'Angelico, celui-là parle vraiment avec un geste de démonstration, le doigt levé : « Ne craignez donc pas, explique-t-il à Marie, c'est l'Esprit Saint qui fera tout. »

Le Couronnement de la Vierge.   30
Détail de la partie supérieure centrale. Musée du Louvre, Paris.

Visage d'un Ange.   31
Détail du précédent.

Parmi les nombreux tableaux que Napoléon rapporta d'Italie pour le Louvre, le *Couronnement de la Vierge* est l'un des plus précieux. Dans la première et si fraîche manière du peintre, c'est-à-dire traité comme une grande miniature gothique, où l'or n'est pas épargné, il met en scène toute la Cour céleste. Deux tonalités de bleu et de rose (le bleu dominant) attirent et caressent le regard. Après la Vierge, dont l'agenouillement dans la ligne nette de son manteau royal est d'une grâce si pure, la foule des anges, habilement groupés, attirent les regards par leurs visages naïfs, leurs attitudes charmantes et les robes exquises dont ils sont revêtus.

Voyez ce groupe d'anges qui jouent soit de la trompette, soit de la mandoline ou de la viole, à la gauche du trône où le Christ est assis. Ils n'ont plus rien de théologique en ce sens qu'on ne se demande pas s'ils sont chérubins ou séraphins ; Fra Angelico a transporté la terre dans le ciel ; le Christ tient sa cour sur un trône à dais gothique, rehaussé de beaux tissus florentins. Les anges, ni enfants, ni jeunes filles, ni jeunes hommes, mais avec la grâce un peu mutine de l'enfance, la pureté de la vierge, la taille des adolescents, sont les pages ou plutôt les fleurs vivantes, roses ou bleues, du royaume des joies. Fra Angelico ne s'est pas posé la question « du *sexe des anges* », il savait, en bon théologien, qu'ils sont de purs esprits, lesquels n'ont point de sexe ; mais il a tout de même créé, pour la joie de nos yeux, des êtres exquis et nouveaux, qui lui valurent son nom.

Le pur et tendre visage d'ange (planche 31) à demi caché dans l'ombre d'une draperie, est l'image même du recueillement. Mais le recueillement des anges peints par frère Giovanni de Fiesole est tout imprégné de sensibilité. Le mélange de grâce juvénile et d'intense vie intérieure donne à cet ange si humain son charme singulier.

J.-K. Huysmans, dans son livre *La Cathédrale*, a écrit de très belles pages sur le *Couronnement de la Vierge* de Fra Angelico ; il croit que les neuf marches du trône symbolisent les neuf chœurs des anges et que toutes les couleurs, autres que le bleu, sont disposées uniquement pour faire ressortir la louange de cet azur disposé en une symétrie voulue.

L'Ange au Sépulcre.   32
Détail d'une fresque. Musée Saint-Marc, Florence.

A peine posé sur le rebord du sépulcre, léger, immatériel, et puissant pourtant, l'*Ange du sépulcre* impose la foi ; l'un de ses doigts levé montre le ciel, l'autre le tombeau vide. Dans la fresque complète, on voit, en face de lui, le groupe charmant des saintes Femmes qui scrutent le tombeau. Et l'ange leur dit : « N'ayez pas peur, vous cherchez Jésus qui a été crucifié, il n'est point ici, il est ressuscité. » L'artiste fait dire cela aux fines mains de l'ange. Toutes les fresques du couvent de Saint-Marc, peintes dans les cellules des religieux et destinées à aider leur contemplation mystique, ont un caractère de surnaturel, très marqué ici. La douce placidité des coloris achève de créer l'atmosphère angélique du matin de Pâques.

Le Repas de saint Dominique servi par les Anges. 33

Prédelle du Couronnement de la Vierge. Musée du Louvre, Paris.

Il est raconté dans les *Vitae Fratrum*, sorte de Fioretti des premiers temps de l'ordre dominicain, qu'un jour le pain manqua complètement au couvent. Saint Dominique ordonne qu'on sonne quand même la cloche pour se rendre au réfectoire et se met en prières. Au moment où les frères prennent leur place devant la table vide, deux jeunes gens inconnus, deux anges, entrent abondamment munis de pains qu'ils distribuent à chaque convive. Puis ils disparaissent. Cet épisode fut reproduit par le pinceau de Fra Angelico ainsi que la suite des autres prodiges rapportés dans la vie du fondateur des Prêcheurs. La série de ces tableautins est insérée dans la prédelle du *Couronnement de la Vierge.*

Stefano di GIOVANNI, dit le SAS-SETTA (1392-1451). — Saint Antoine tenté par le démon transformé en ange. 34

Morceau de prédelle. Collection Jarves, New-Haven, Université de Yale, U. S. A.

Est-ce à cause de son visage sans joie ou bien de ses ailes courtes et crénelées, comme celles des chauves-souris, que l'ange apparu à saint Antoine fut reconnu par celui-ci pour venir de l'enfer et non du ciel? En lui donnant ces deux signes, Stefano di Giovanni a convenu que de longues ailes battantes et un visage serein étaient indispensables aux véritables messagers de Dieu. Ce tableautin du peintre le plus délicieux de l'époque décadente siennoise représente l'une des tentations de saint Antoine au désert. Ici, le désert est remplacé par la campagne siennoise, un peu stylisée, là où vivaient sans doute les ermites de la célèbre forêt d'yeuses, aux environs de la ville la plus mystique d'Italie.
La suite de la vie de saint Antoine ermite remplissait les autres compartiments de la prédelle.

Spinello ARETINO (peignait entre 1373 et 1410). — L'Ange Gabriel. 35

Détail de l'Annonciation. Collection Frick, New-York.

Précurseur des peintres de batailles, Spinello Aretino (né à Arezzo, comme l'indique son nom) posséda la science du mouvement et de la simplification avant ses contemporains. On lui reproche même son dessin trop sommaire, mais il semble que ce soit à tort, car les touches hardies sont à leur place, il annonce plutôt les modernes. Sa fécondité fut merveilleuse, Spinello peignit des suites de fresques à Florence (au Carmine), à Pise, à Sienne, sans oublier sa ville natale. A Pise, il travailla sans doute avec Orcagna, le détail d'Annonciation reproduit ici est un peu dans l'esprit des fresques du Campo Santo; la largeur et l'énergie du dessin sont bien propres à Spinello cependant et de sa meilleure époque, la première.

Jean VAN EYCK (1385-1441) et Hubert VAN EYCK († 1426). — L'Ar-change Gabriel saluant Marie. 36

Détail du volet droit (le retable étant fermé) de l'Agneau mystique. Cathédrale Saint-Bavon, Gand.

L'Adoration de l'Agneau. 37

Détail du paneau central du retable de l'Agneau mystique. Cathédrale Saint-Bavon, Gand.

Les frères Van Eyck, Hubert et Jean, sont originaires de Maeseyck (Eyck-sur-Meuse). On ne sait guère de l'aîné Hubert que la date de sa mort, 1426. A cette époque, ce fameux retable de *l'Agneau mystique* était commencé depuis six ans (il fut achevé en 1432). Quelle est la part qu'on peut attribuer à Hubert dans son exécution? A-t-il dessiné l'ensemble ou peint les premiers détails sous la direction de son frère? On ne sait. Il suffit à sa gloire d'avoir participé à ce chef-d'œuvre unique, inaugurant en perfection l'âge d'or de la peinture flamande.

Le sujet de *l'Agneau mystique* est la glorification céleste du Christ rédempteur. Le retable a douze compartiments étant fermé et douze étant ouvert. Celui de *l'Ange de l'Annonciation* (planche 36) est à gauche sur le volet droit fermé; Gabriel est éclatant et pur dans les plis majestueux de ses vêtements; la Vierge lui fait face sur l'autre panneau, elle répond : « Ecce ancilla Domini » à son « Ave ».

Lorsqu'on ouvre les volets du retable de Gand, c'est un éblouissement. « La couleur ruisselle à pleins bords », a dit Fromentin d'un tableau de Van Eyck. Cela ne peut être plus vrai que pour *l'Agneau mystique.* L'effet de la gamme lumineuse est d'une plénitude étonnante, on y retrouve à la fois la fraîcheur des fleurs et l'éclat des pierreries. La partie centrale de l'étage inférieur est le sujet principal de l'œuvre; au centre du paysage, le plus lumineux qu'on puisse rêver, avec de fines pointes de clochers à l'horizon, se dresse l'*autel de l'Agneau* (planche 37). Les anges l'entourent et les foules viennent à lui selon ce qu'il est écrit dans l'Apocalypse : « Ils sont venus de la grande tribulation; ils ont lavé leur robe dans le sang de l'Agneau; l'Agneau, qui est au milieu du trône, les conduira aux sources de la vie. » Une ravissante fontaine gothique symbolise ces « sources de la vie ».

Dirck BOUTS (1410-1475). — La Fon-taine symbolique, ou le Che-min du Paradis. 38

Volet d'un retable. Musée de Lille.

Le lieu de naissance de Thierry ou Dirck Bouts (le père) serait inconnu si la signature d'un tableau ne l'avait révélé ainsi : « L'an du Seigneur 1462, Thierry, né à Harlem, m'a fait à Louvain. » C'est à Louvain, en effet, que Bouts travailla, se maria et eut quatre enfants dont deux fils, peintres comme lui-même : Dirck le jeune et Albert.

La Fontaine symbolique ou *Montée des Élus* est d'une coloration diaphane, lumineuse et douce à la fois; sa précision presque dure fait songer à l'école allemande, mais les figures allongées sont plutôt dans la tradition de Van der Weyden. La chape magnifique de l'ange semble prolongée par un tapis naturel de fleurs dans le même style. On pense que ce panneau faisait pendant à la *Chute des réprouvés* du même auteur. Le centre du retable, actuellement perdu, devait être *le Jugement dernier*, commandé à l'artiste le 20 mai 1468, par l'hôtel de ville de Louvain.

ÉCOLE PARISIENNE (vers 1395). — La Vierge avec l'Enfant entourée d'Anges s'avance vers Richard II d'Angleterre. 39
National Gallery, Londres.

L'auteur de ce petit diptyque nous aurait été connu par les registres de comptes royaux si ces livres n'avaient été perdus à la Révolution. L'œuvre fut vraisemblablement commandée dans un atelier de peinture parisien, à l'occasion du mariage de Richard II (qui figure entouré de saints sur l'un des volets) avec Isabelle, fille de Charles VI. Le mariage fut célébré en 1396. Les visages aux mentons fins et aux suaves sourires rappellent l'école siennoise; on sait d'ailleurs que Simone di Martino était alors venu de Sienne en France. Toutefois, le style général du diptyque apparaît d'une élégance bien française et même parisienne; le geste de la mère, saisissant le pied mignon de l'enfant, est d'une exquise délicatesse. Tout le panneau est d'une ravissante tonalité bleue, touchée de rose pâle, sur fond d'or; les anges y présentent cette particularité qu'ils sont ici très franchement des jeunes filles, alors qu'en général (bien qu'on ne puisse en qualité d'esprits purs leur donner un sexe) les anges présentent l'aspect d'adolescents, tant d'après les descriptions de la Bible que par les reproductions des statuaires et des peintres.

Cette œuvre est connue sous le nom de Diptyque Wilton House.

ÉCOLE PARISIENNE (XIVe siècle). — L'Annonciation. 40
Collection Arthur Sachs, New-York.

Ce petit panneau, peint en 1390 ou 1400, faisait partie d'un ensemble (probablement un quadriptyque) provenant de l'ancienne collection Cuvillier, à Niort; malheureusement, les pièces en sont dispersées; trois, dont *l'Annonciation*, se trouvent en Amérique. Le coloris clair, un peu froid, les visages allongés, l'élégance et surtout le mouvement apparentent ces panneaux au *Diptyque Wilton* et au Parement de Narbonne. Les personnages de l'école parisienne anonyme du XIVe siècle ont ainsi les gestes vifs, tels l'ange qui avance ici la main sur le trône de la Vierge afin d'attirer son attention, et Marie, surtout, dont le recul étonné est si accusé. Une sérénité aristocratique s'allie cependant fort bien au mouvement dans les œuvres de la même école.

ATELIER PARISIEN DE NICOLAS BATAILLE (1490). — Le Feu du ciel tombe sur les eaux. 41
Panneau de l'Apocalypse. Tenture. Musée de l'Évêché, Angers.

Vers 1375, le duc d'Anjou empruntait à son frère, le roi Charles V, un précieux manuscrit de l'*Apocalypse* (qui ne revint d'ailleurs jamais à son propriétaire). Le livre est ensuite confié à Jean de Bruges, peintre du roi, qui exécute d'après les miniatures une série de cartons, lesquels arrivent à Nicolas Bataille, haute-lissier chargé « d'un beau tapis » au compte de « Monsieur d'Anjou » (Louis Ier, roi de Sicile et duc d'Anjou). La dernière pièce de ce « beau tapis » ne devait être achevée

que cent ans plus tard (en 1490). Chaque panneau, comprenant plusieurs tableaux, mesurait 5 mètres de haut et 24 mètres de long; il y en avait sept, soit environ 160 mètres de développement. La tapisserie de l'Apocalypse était donc l'une des plus considérables qui aient été tissées. Il n'en reste que soixante-neuf tableaux, un certain nombre ainsi que des banderoles ayant disparu. L'ensemble est encore imposant et fort beau. Les sujets sont cernés de noir comme les vitraux de la même époque, ils se détachent sur des fonds bleus ou rouges, alternés avec un éclat rappelant les miniatures.

Le morceau représenté ici illustre ce passage de l'Apocalypse : « Le deuxième ange sonna de la trompette et comme une grande montagne tout en feu tomba dans la mer... et le tiers des navires fut détruit. » Dans un coin, saint Jean pleure, ainsi qu'il l'écrit lui-même : « Et je pleurais beaucoup de ce qu'il ne se trouvait personne qui fût digne d'ouvrir le livre, ni de voir ce qu'il contenait. » C'est-à-dire que le mystère de l'Apocalypse ne serait pas révélé.

LOUIS BRÉA (1475). — La Vierge de douleur. 42
Église de Cimiez, Nice.

Louis Bréa fut le meilleur représentant de l'école de Nice. Il peignit en 1475 le retable de Cimiez où l'on retrouve la tradition avignonnaise et par conséquent l'influence italienne. Ceci est surtout notable dans le panneau de droite représentant sainte Catherine. Quant à la composition de la partie centrale, *la Vierge de Pitié*, elle doit son originalité particulière à ce vol d'anges, posés comme des oiseaux sur « l'arbre de la croix ». Nous sommes loin des anges de douleur si tragiques d'un Cimabue ou d'un Giotto; familiers, presque curieux, ces angelots se pressent derrière la Vierge, au visage si doux dans sa douleur, et s'efforcent de pleurer avec elle.

ENGUERRAND QUARTON (1453). — Le couronnement de la Vierge. 43
Détail. Saint Gabriel.

Détail : Les Chérubins bleus. 44

Détail : Un Ange soufflant dans un encensoir. 45
Hospice de Villeneuve-lès-Avignon.

Enguerrand Quarton, ou Carton (selon l'orthographe picarde souvent conservée en Provence) est appelé aussi par déformation Charonton, Charraton et (au moins une fois dans les documents anciens) Charretier.

Il était du diocèse de Laon. On sait qu'il peignit à Aix, à Arles et en Avignon de 1444 à 1466; il n'alla pas en Italie et par ailleurs sa formation est plus française que flamande.

Notre pays lui doit le *Couronnement de la Vierge*, l'un des chefs-d'œuvre de l'art primitif français (le document essentiel à consulter est l'album de M. Charles Sterling, Éd. Floury). C'est un important retable d'autel qui mesure 1 m. 83 de haut sur 2 m. 20 de large. Il est peint sur bois de noyer recouvert d'une préparation de plâtre, selon la méthode des maîtres flamands. Quarton a voulu représenter une vaste synthèse de la religion chrétienne : l'Église triomphante (le ciel), l'Église militante, la chrétienté avec une partie de la cité de Rome, de Jérusalem, beaucoup d'églises, la messe miraculeuse de saint Grégoire, « maisons et boutiques et toutes manières de gens »; l'Église souffrante (le purgatoire) et même l'enfer. Le contrôle de commande, découvert par l'abbé Requin, dénote à la fois l'envergure et la précision qui inspira le retable demandé par « Jean de Montagnac à maistre Enguerrand ».

« Premièrement y doit estre la forme de paradis et en ce paradis doit estre la Sainte Trinité, et du Père au Fils ne doit avoir nulle différence et le Saint-Esprit en forme d'une colombe et Nostre Dame... à laquelle Nostre Dame la Sainte Trinité mettra la couronne sur la teste. Item du cousté de Nostre Dame doit estre l'ange Gabriel avec une certaine quantité d'anges, et de l'autre cousté saint Michel... »

Le document continue à prévoir chaque détail du ciel et de la terre, du purgatoire et de l'enfer, en indiquant richesse et couleur des vêtements. Saint Michel est placé « à la dextre de la sainte Trinité », c'est lui le chef, le « signifer », l'un des sept, dit l'Écriture, qui se tiennent toujours devant la face de Dieu. « Maistre Enguerrand le sait, auquel on recommande de « montrer toute sa science en la sainte Trinité » : saint Michel est l'ange du Christ, saint Gabriel l'ange de Marie. « Item du cousté de Nostre Dame doit estre l'ange Gabriel. » Son sceptre de l'Annonciation est fleurdelisé et sur la banderole enroulée on lit : Ave gr... doramus... bus. m... » (planche 43).

Quarton connaît fort bien la hiérarchie dionysienne des anges et quand on lui commande (document cité) « alentour de la Sainte Trinité doivent estre Chérubins et Séraphins », il mettra les Séraphins au-dessus des Chérubins; bien mieux, il distinguera que le rouge est une couleur supérieure au bleu; les Séraphins seront donc rouges (plus exactement couleur feu, celle de l'amour) et les Chérubins seront bleus (couleur de l'intelligence) (planche 44). Ils émergent des deux nuages blancs qui servent respectivement de siège au Père et au Fils dans la Sainte Trinité.

Leurs visages graves malgré leur jeunesse enfantine n'a rien de l'exubérance italienne non plus que de la placidité flamande; ils sont éblouis, mais non figés par l'admiration, chacun a son expression et son caractère : celui de droite exprime une contemplation concentrée, le dernier de gauche est tout ravi d'amour.

Sous l'aile puissante de Gabriel, des Anges d'ordre inférieur s'acquittent de diverses fonctions célestes. L'un joue de la harpe, l'autre *ranime le feu de l'encensoir* (planche 45) en soufflant sur les braises, un ange « se tient près de l'autel un encensoir d'or à la main », ainsi qu'il est écrit dans l'Apocalypse, « on lui donna beaucoup de parfum et la fumée des parfums s'éleva devant Dieu ». Ces parfums lui sont apportés par les hommes et ce sont leurs prières. Cet ange à l'encensoir est vêtu d'une chape rouge à bordure bleue. « Ledit retable, dit encore le document de l'abbé Requin, doit être fait de fines couleurs d'uille et l'azur doit estre fin azur d'acre (de la ville de Saint-Jean-d'Acre), excepté celui qu'on mettra en la bordure, lequel doit estre de fin azur d'Allemaigne, et l'or que y entrera... doit estre fin et or bruni. » L'azur avec des touches d'or est en effet très fin et abondant dans l'œuvre de Quarton, comme en toute œuvre vraiment française des primitifs; la note rouge, cependant, domine au premier plan dans les manteaux du Père et du Fils couronnant la Vierge.

MAITRE DE L'ANNONCIATION D'AIX (vers 1443). — L'Annonciation. 46
Église Sainte-Marie-Madeleine, Aix-en-Provence.

C'est en 1442 que maître Corpici, à Aix, commandait un beau triptyque qui pût servir de retable à la chapelle de sa sépulture, en l'église Saint-Sauveur. L'image du Christ ressuscité apparaissant à Madeleine enluminait les volets extérieurs pour rassurer les parents et amis du mort sur son éternelle destinée. A l'intérieur, Isaïe et Jérémie prophétisaient en costumes éclatants, enfin la Vierge recevait le message de Gabriel sur le panneau principal. C'est l'ange de cette Annonciation célèbre qu'on voit ici agenouillé en chape magnifique, avec l'étole ecclésiastique. L'identité du maître d'Aix est mystérieuse, on sent l'influence toute proche de Van Eyck, bien que l'air circule davantage sous les piliers gothiques, surtout dans la perspective profonde de l'église où se tient la Vierge. La peinture est plus large que dans le retable de l'Agneau mystique; de fortes touches, presque « cubistes », ont fait dire à un critique que la Provence annonçait déjà Cézanne avec le maître de l'Annonciation. Celui-ci, quel qu'il soit, trahit dans son œuvre une personnalité originale; elle ajoute quelque chose à l'art gothique dérivé de Van Eyck et mêlé aux influences italiennes.

LE MAITRE DE MOULINS (JEAN PERRÉAL?) (vers 1480). — Trois Anges adorant la Vierge. 47
Détail du suivant.

Triptyque de la Vierge glorieuse. 48
Partie centrale. Cathédrale de Moulins.

Le maître de Moulins est-il ou n'est-il pas Jean Perréal, peintre au service de Pierre II, duc de Bourgogne? Une grande analogie s'affirme entre le portrait présumé de Marguerite d'Autriche (collection Lehmann), la Nativité d'Autun, la Vierge et l'Enfant du musée de Bruxelles et le charmant Enfant en prière du musée du Louvre, toutes œuvres mises indifféremment sous les deux désignations : mais le centre de *la Vierge glorieuse* (planche 48) pourrait bien être d'un autre peintre, à moins que le sujet ait spiritualisé la sensibilité de l'artiste. Cette sensibilité, beaucoup plus réaliste dans la Nativité et surtout dans l'Enfant en prière, devient là d'une exquise et immatérielle tendresse religieuse; elle éclate sur le visage comme dans l'attitude fervente des *trois anges*, représentés (planche 47) et qui se trouvent immédiatement à la droite de la Vierge.

Les volets du triptyque représentent une très belle Annonciation en grisaille et les portraits des donateurs à l'intérieur; mais toute l'attention est portée sur le sujet central : la glorification de la Vierge par la lumière et par les anges. Le peintre a illustré ces paroles de l'Apocalypse : « *Un grand signe parut dans le ciel : une femme revêtue du soleil et qui avait la lune sous les pieds.* » Les chérubins qui tiennent la couronne destinée à la Vierge participent à l'illumination par l'astre, qu'on voit ici décomposé en couleurs du prisme.

Saint Jean avait encore vu un ange revêtu d'un nuage, auréolé d'arc-en-ciel et dont le visage brillait comme le soleil.

Les anges ne sont pas que des messagers, fait remarquer Dom Vosnier, ils sont de puissants et grands êtres faisant partie de l'univers cosmique à la place la plus haute, la plus éloignée de la matière, la plus proche de l'essentielle lumière.

Saint Augustin croyait, et beaucoup l'ont cru avec lui, que chaque astre était conduit directement par un ange, en son évolution.

La couleur du triptyque de Moulins est plus dense que celle de *la Nativité* d'Autun; le maître, si c'est le même, avait alors oublié les coloris froids d'Hugo van der Goes et s'inspirait des beaux vitraux dont la cathédrale de Bourges venait de s'enrichir. Son modelé est aussi plus parfait; dans le bas du panneau, à gauche, les mains des anges surgissent comme des fleurs de lumière, d'une forme admirable.

JEAN FOUQUET (vers 1450). — La Vierge aux Anges rouges.   49
Musée royal, Anvers.

A l'époque où Philippe le Bon et Charles le Téméraire avaient pour les peindre Roger van der Weyden, Charles VII et Louis XI avaient le Tourangeau Fouquet. C'est Agnès Sorel que, vers 1450, Jean Fouquet peignit sous les traits de la Vierge avec un fond d'anges rouges, se découpant eux-mêmes sur un arrière-fond d'anges bleus. Cette construction décorative est particulièrement originale. Fouquet, d'ailleurs, présente souvent ses sujets comme un groupement bien équilibré de statues polychromes. A ce point de vue, *la Vierge et l'Enfant* du musée d'Anvers, avec ses volumes très sculptés et ses surfaces lisses, est bien caractéristique; l'ordonnance architecturale du dessin, sa noble simplicité et l'opposition franche des tons, font la beauté du style de Fouquet. Il est curieux de remarquer combien, avec cette grandeur calme de l'ensemble, les personnages de *la Vierge à l'Enfant* apparaissent légers, affranchis des lois de la pesanteur, prêts à s'envoler comme des baudruches. Dans l'inspiration du tableau, les anges ne prient ni n'adorent, ils sont utilisés dans une idée uniquement décorative.

L'Intronisation de la Vierge.   50
Miniature. Musée Condé, Chantilly.

Fouquet n'est peut-être pas miniaturiste avant tout; on remarque, au contraire, une composition très simplifiée dans l'ampleur que lui apportent les tableaux de chevalet; toutefois, parce qu'on lui commanda beaucoup de miniatures, selon le goût de l'époque, ce sont elles qui ont fait le meilleur de sa réputation. Ce genre lui a permis de mettre l'histoire de son temps en images, même quand il peint des sujets religieux. Ainsi cette *Intronisation de la Vierge*, bien que située au Paradis, est ordonnée comme une réception à la cour des Valois. Le triple trône gothique et celui plus modeste de la Vierge sont de pur style flamboyant; mais, et ceci est très curieux, la décoration des voûtes est faite d'anges stylisés; sauf ceux du premier rang, qui sont encore des anges, les autres existent uniquement en tant que détails architecturaux; ils forment la charpente de la voûte. Fouquet ne semble pas avoir pris très au sérieux la vie individuelle des esprits célestes. Par ailleurs, il se montre respectueux de la tradition théologique du moyen âge en représentant la sainte Trinité sous forme de trois personnages également jeunes, au lieu d'avoir recours à l'image tradi-

tionnelle d'un Père éternel à barbe blanche, du Christ souffrant et de la colombe. Encadrant le trône, on voit les emblèmes des évangélistes, l'aigle, l'ange, le bœuf et le lion.

NICOLAS FROMENT (vers 1435-1484). — Le Buisson ardent.   51
Volet central du triptyque. Cathédrale Saint-Sauveur, Aix-en-Provence.

Sur le cadre primitif de ce retable se trouvait une inscription : « Rubum quem viderat Moyses incombustum, conservatam agnovimus tuam laudabilem virginitatem. » (Le buisson brûlant sans se consumer vu par Moïse, nous savons (Marie) que c'est ta virginité conservée.)

Cette interprétation du texte de l'Exode demande une explication. Le peintre Nicolas Froment a fait une conjonction entre le buisson de feu inextinguible de l'Horeb, d'où sortit la voix mystérieuse de Iahveh : « Je suis celui qui suis », et tel buisson de roses rouges où il fait reposer Marie; il cède à une inspiration de poète, conforme d'ailleurs à la symbolique mariale du moyen âge. La vision de Moïse figure plus directement l'Être éternel s'engendrant lui-même sans commencement ni fin (feu brûlant sans se consumer).

Le tableau de Froment représente en réalité une autre vision prophétique, celle d'Isaïe : « Un rejeton s'élancera de la tige de Jessé, une fleur s'élèvera de sa racine... Voici qu'une vierge enfantera un fils. » Et la liturgie catholique précise : « La tige, c'est la Vierge; la fleur, c'est son fils, et sur cette fleur l'Esprit repose. » Cette association d'idées, chez le peintre, fut cause des multiples discussions à propos du véritable sujet de son tableau. On a eu tort de dire qu'il s'agissait peut-être de la vision de saint Joachim, vision qui d'ailleurs n'est qu'une tradition populaire ne reposant sur aucun texte biblique; la vision d'Isaïe, au contraire, a toujours été nettement expliquée par l'Église et on la voit représentée déjà dans les catacombes (cimetière de Priscille). Quant au bel ange (habillé comme ceux de Van der Weyden avec une chape fermée par un bijou), il est une pure invention du peintre, il n'est pas plus question de sa présence dans l'Exode que dans Isaïe. La tradition catholique accepte toutefois l'hypothèse que Dieu nous parle par ses anges, puisqu'il agit ainsi d'une façon visible (Annonciation, vision de Zacharie, etc.). L'Ange n'est pas le seul personnage à note flamande du retable. Cette œuvre fut d'ailleurs commandée par le roi René d'Anjou (vers 1475) dont le goût pour l'art de Van der Weyden est notoire.

ROGER VAN DER WEYDEN (1400-1464). — Triptyque des Sacrements.   52
Volets. Musée royal, Anvers.

L'idée qu'un ange est député par Dieu pour présider à la grâce d'un sacrement n'est pas contredite par la doctrine catholique, encore que l'Église n'ait rien précisé à ce sujet. Elle admet seulement, d'une façon générale, la transmission des bienfaits de Dieu par le ministère des anges, d'où le dévotion médiévale a pu attribuer aux anges un rôle particulier dans les grâces insignes que sont les sacrements. Le triptyque d'Anvers représente, sur le volet gauche ouvert : le Baptême, la Confirmation et la Pénitence. L'Eucharistie forme le panneau central; au premier plan de la nef d'église, qui constitue le cadre, on voit le drame du Calvaire avec la Mère de Jésus tombant évanouie; au fond, mais d'une manière bien visible, le prêtre célébrant la messe élève l'hostie. La conjonction théologique de la messe du Golgotha et de la communion est très précise dans l'esprit du peintre; l'Eucharistie, le plus grand des sacrements, n'est point pour lui distinct de la messe; il ne représente point d'ange à son sujet, la communion étant la réception directe du corps du Christ sans intermédiaire.

Sur le volet de droite, les anges volent de nouveau au-dessus des cérémonies du mariage, de l'ordre et de l'extrême-onction.

Outre leur valeur de peinture et d'inspiration religieuse, ces panneaux nous offrent un grand intérêt de pittoresque, au point de vue des types et des costumes flamands du temps.

Les Anges portant les instruments de la Passion. 53
Panneau du polyptyque du Jugement dernier.
Hospice de Beaune.

L'Archange saint Michel pesant les âmes. 54
Détail du même polyptyque.

A droite du Christ en gloire qui domine la partie centrale du polyptyque de Beaune, se trouve un petit panneau représentant des anges portant la croix; à gauche, en vis-à-vis, est celui reproduit ici : ces anges portent les instruments de la passion. Rojier de la Pasture (de la pasture se traduit à peu près en flamand par Van der Weyden) fit pour Beaune, et sans doute aux frais du chancelier Rollin, ce polyptyque justement célèbre. Van der Weyden n'était pas flamand, mais wallon, puisque né à Tournai. Il devait mourir à Bruxelles et eut l'honneur d'être enterré dans la cathédrale Sainte-Gudule.

Sa peinture a cependant l'éclat et la précision de la tradition gothique et réaliste de Bruges. A la mort de Jean van Eyck, Van der Weyden était déjà en pleine activité et le plus grand peintre d'Europe après lui. Il a un sens plastique assez particulier, et construit ses tableaux avec une netteté et une force qui semblent tenir à la fois de l'architecture et de la statuaire. Son goût pour les proportions allongées lui est très personnel, ceci est surtout remarquable dans la reproduction suivante, le saint Michel du même polyptyque de Beaune.

Saint Michel, debout aux pieds du Christ, tient à la main (d'un geste très noble) une balance où il pèse les âmes. L'Évangile a nommé les anges les moissonneurs de la fin du monde : ils sépareront l'ivraie du froment; mais l'emblème de la balance est pris à la religion de l'ancienne Égypte. Dans les chambres sépulcrales de la Vallée des Rois on voit représentée la pesée des âmes devant Osiris : dans un plateau, une main figure la vérité; dans l'autre est placé le cœur du défunt. Le dieu chacal, accroupi et l'œil mauvais, assiste au drame. Dans le *Jugement dernier* de Beaune, l'archange en longue robe blanche et en chape sacerdotale n'a rien de terrifiant; d'ailleurs, sur le panneau voisin, à sa droite, la Vierge Marie est agenouillée et intercède pour les pécheurs. Autour de saint Michel volent les quatre anges chargés de sonner de la trompette pour rassembler les élus des quatre coins du ciel. La tradition comme la liturgie de l'office des morts ont attribué à l'archange Michel « porteur de l'étendard » la mission d'introduire les élus « dans la sainte lumière ». C'est le vainqueur de Satan, il emporte son butin d'âmes échappées au prince de l'enfer.

L'œuvre de Beaune, telles les autres de Van der Weyden et des grands maîtres flamands du même temps, n'est pas faite pour être vue de loin. Chaque détail est étudié comme un morceau d'orfèvrerie, chaque touche de couleur rutile avec son maximum d'éclat. La chape de saint Michel est splendide, un bijou précieux la ferme, il faut tout regarder, malgré l'ampleur du polyptyque, comme on regarderait une enluminure à sujets multiples.

LE MAITRE DU FEUILLAGE EN BRODERIE (fin du XVe siècle). 55
— La Madone aux Anges musiciens.

Détail. Collection Féral, Paris.

Le Maître du Feuillage en broderie travaillait à Bruxelles vers l'an 1500; il est assez proche du Maître dit « de la suite de Joseph ». Également influencé par Van der Weyden (témoin les visages allongés de ses anges rappelant ceux du *Jugement dernier* de Beaune), il se ressent aussi de l'école de Bruges. L'aspect de son tableau le plus connu a décidé de son nom : il est, dans l'histoire de la peinture, le Maître du « feuillage en broderie ». On sait peu de chose sur lui, mais sa *Madone aux anges musiciens*, peinte sur bois, compte parmi les plus belles peintures flamandes. Elle avait figuré dans une collection privée à Munich vers 1890, puis on avait perdu sa trace, on la revit à « l'Exposition de cinq siècles d'art » (Bruxelles, 1935), actuellement elle est à Paris, dans une collection particulière.

HUGO VAN DER GOES († 1482). — L'Adoration des Bergers. 56
Musée des Offices, Florence.

Cet immense tableau aux couleurs claires, aux détails nets, mais à la composition trop dispersée, est une synthèse de l'alliance picturale du Nord et du Midi. Van der Weyden était déjà venu en Italie et s'était inspiré de Gentile de Fabriano dans son *Adoration des mages*. Entre 1474 et 1480, trois peintres flamands travaillaient en Italie : Memling, Juste de Gand et Van der Goes, « qui tant eut les tratz nets ». Si dans son *Adoration des bergers* ses figures sont mal groupées, les détails sont exquis et achevés avec une perfection toute flamande; quant aux visages rudes des bergers, ils sont d'un naturalisme nordique. L'Italie a mis sa fantaisie dans le vol des anges sur les poutres de la chaumière et les fleurs éparpillées sur la nudité de la cour. Au point de vue de l'angélologie, il est curieux de remarquer la distinction vestimentaire des anges. Ceux revêtus de chapes sacerdotales et couronnés sont au moins des trônes ou des chérubins; d'autres, agenouillés à gauche, encore couronnés et munis de l'étole de diacres, sont certainement d'un ordre supérieur aux anges simplement vêtus, agenouillés au fond. Le peintre a sans doute voulu représenter, sinon les neuf chœurs, au moins les trois ordres angéliques.

LE MAITRE DE FLÉMALLE (ROBERT CAMPIN) (1375-1444?). — 57
L'Adoration des Bergers.
Détail. Musée de Dijon.

Tantôt appelé maître de Flémalle (du nom de l'abbaye où il peignait), tantôt maître de Mérode (en souvenir du propriétaire de son œuvre principale), ce peintre fut longtemps confondu avec Jacques Daret, tournaisien comme Van Eyck et son compagnon de travail. Les plus récents travaux, notamment ceux de MM. Max J. Friedländer et Charles de Tolnay, identifient le Maître de Flémalle à Robert Campin (1374-1444), qui fut le maître ou l'auxiliaire de Van der Weyden et dont les œuvres sont à Francfort.

L'Adoration des Bergers, qui se trouve maintenant au musée de Dijon, n'est pas d'une composition très rythmée, mais débordante d'animation et de poésie. Le paysage de fond, en faveur duquel ce détail a été choisi, est joyeux comme l'annonce de Noël. A gauche, le soleil se lève derrière une montagne sur laquelle la ville est bâtie. Une route jaune serpente, on voit au loin un lac portant des bateaux, tous les aspects riants de la vie sont représentés. L'ange à longs vêtements flottants, qui semble sortir d'un toit, déploie des banderoles à la manière des peintres tournaisiens. Les figures de bergers qu'on aperçoit à gauche sont déjà d'un réalisme très poussé.

HANS MEMLING (1430-1494). — L'Annonciation. 58
Collection Lehman, New-York.

La rêverie poétique du Rhin, l'éclat et la solidité consciencieuse des Flandres, la grâce italienne, tels sont les éléments de la peinture de Memling, alliance heureuse qui lui donne ce caractère spécial. On sait que Memling était allemand et apporta la mystique de son pays dans les Flandres réalistes : ses voyages en Italie assouplirent par ailleurs son talent; et voilà pourquoi son Gabriel (vêtu d'une splendide dalmatique si minutieusement travaillée) a tant de grâce songeuse; l'ange de second ordre (un page de la cour céleste) qui relève la traîne de la Vierge s'incline avec toute la gentillesse florentine; le troisième ange, l'ange gardien de Marie, sans doute, la soutient pour qu'elle ne défaille point sous le choc de l'annonce formidable, celui-là possède plus de placidité flamande. Leur charme est surpassé par celui de la Vierge si ingénue et si tendre.

Le Concert céleste. 59
Détail du Christ entouré d'anges. Musée d'Anvers.

Hans Memling, qui sut mettre non seulement tant de mysticisme et de douce rêverie, mais encore une réelle ampleur, dans des œuvres de médiocre proportion (telle la *Châsse de sainte Ursule*), s'essaye ici à peindre des personnages de grandeur naturelle. Il n'est pas coutumier du fait et il est juste d'avouer qu'il atteint la perfection des détails avec une maîtrise plus sûre dans les œuvres de moindre grandeur. Toutefois, ses anges chantants entourant le Christ du buffet d'orgue de Nafera (actuellement au musée d'Anvers) ont une souplesse et une grâce tout aérienne et céleste. Le peintre s'est souvenu certainement des deux chœurs d'anges

musiciens de Van Eyck sur les volets de *l'Agneau mystique*; avec moins d'éclat et de fermeté, ceux de Memling semblent groupés en un rythme spécialement harmonieux; ce qu'on peut, chez eux, trouver inférieur en robustesse bénéficie de plus de souplesse et de vie.

JÉROME BOSCH (1450-1515). — L'Ange gardien et l'Ange tentateur. 60
Détail du Chariot de foin. Anciennement à l'Escorial. Musée du Prado, Madrid.

Le *Chariot de foin* que Jérôme Bosch peignit à l'époque de sa pleine maturité (vers 1485) représente la tragédie humaine : l'homme incertain de sa destinée errant à travers le mal.

Sur les volets fermés, on voit un vagabond déguenillé qui chemine à l'aventure sur une route bordée d'un côté par un terrain désolé, couvert d'ossements, et de l'autre par un paysage triste où l'on aperçoit un gibet et des voleurs détroussant un passant. Le triptyque ouvert laisse apparaître, sur le volet gauche, le Paradis perdu au sommet duquel trône Dieu le Père; à droite l'enfer; au centre, enfin, s'élève le chariot de foin. « Le monde est un tas de foin, dit un proverbe flamand, chacun en prend ce qu'il peut saisir. » Ce foin symbolise tout ce qui fait envie : la richesse, les honneurs, le plaisir, et l'on voit des prélats et des nonnes venir, comme les laïcs, y chercher leur part. Tous ont oublié la parole célèbre d'Isaïe qu'on chante aux matines de Noël : « Toute chair n'est que du foin (omnis caro foenum)... L'herbe a séché, la fleur est tombée, seule demeure éternellement la parole du Seigneur »

Le détail représenté ici est le sommet du chariot de foin, des amoureux y savourent leur joie sans souci de l'instabilité du tas croulant. A leur droite, un ange gardien, vêtu d'une robe d'eau bleue, avec des ailes roses, supplie le Ciel de les garder du mal; à gauche, un mauvais ange livide souffle avec son nez dans une trompette, s'efforçant de les ensorceler par quelque musique diabolique. On croyait volontiers, au moyen âge, qu'un ange de ténèbres accompagnait chaque humain, se tenant à sa gauche, et tâchait de ruiner l'influence du bon ange placé à sa droite. Cette doctrine, que l'Église n'accepta jamais, devait plaire à Jérôme Bosch, féru de « diableries » et de cabale.

La Chute des Anges rebelles. 61
Détail du volet gauche du Chariot de foin. Anciennement à l'Escorial. Musée du Prado, Madrid.

Entre le Père éternel, assis dans la gloire, et l'ange au glaive de feu qui chasse Adam et Ève du paradis (partie inférieure du volet), on voit ici la création de l'homme et de la femme, tandis que, simultanément, les anges rebelles tombent du ciel, en une pluie de moustiques translucides. Ce volet, comme tout le triptyque, est peint d'une manière fluide; le coloris est clair et frais. La débordante imagination de Bosch, ami du grotesque et même du funambulesque, était servie par une facilité de touches, une main légère, bien plus moderne que son temps. Le véritable nom de Jérôme Bosch est Van Acken (d'Aix-la-Chapelle), ville originaire de sa famille. On l'appela Bosch, — bois, — de Bois-le-Duc, où il naquit.

GÉRARD DAVID (1460-1523). — Ange de l'Annonciation. **62**

Musée de Berlin. Anciennement collection Hohenzollern.

Vers la fin de 1483 arrivait à Bruges un artiste, sans doute d'origine hollandaise, qu'attirait la gloire de Memling. On croit qu'il fut son élève. De Memling, Gérard David devait prendre les expressions doucement apaisées, si caractéristiques du mysticisme rhénan. Son tableau célèbre du musée de Rouen (*Vierge à l'Enfant entourée d'anges et de saintes*) est d'une poésie toute surnaturelle. On y remarque cependant qu'un grand pas vers la peinture réaliste est accompli depuis le *Mariage mystique de sainte Catherine*, chef-d'œuvre de la peinture religieuse de Memling. Ce réalisme de David s'accusera encore dans l'exquis tableau de *l'Enfant à la soupe au lait*. Réalisme fait non seulement d'observation vivante, mais de science picturale. L'ange du triptyque au centre perdu, dont nous voyons ici la reproduction, marque par le dégagement de son volume, la puissance de son modelé, la souplesse et l'ampleur des draperies qui s'agitent aux mouvements de son corps, que Gérard David ne peut plus être rangé parmi les primitifs, encore qu'il en ait gardé tout le charme.

BREUGHEL LE VIEUX (1525-1569). — La Chute des Anges rebelles. **63**

Musée royal, Anvers.

Il ne faut pas confondre Pierre Breughel le vieux ou le drôle (1525-1569) avec ses deux fils : Pierre Breughel d'Enfer (1564-1638) et Jean Breughel de Velours (1568-1625), qui furent les contemporains de Rubens.

L'auteur de la *Chute des Anges*, du *Massacre des Innocents*, du *Dénombrement*, etc., est resté, au milieu de tant d'autres qui, à cette époque, évoluaient vers un art intellectuel et transcendant, un peintre essentiellement flamand, naturel, peignant « pour le plaisir ». Il commente (en ayant l'air de s'amuser prodigieusement) la parole tragique de l'Apocalypse : « Un grand combat se fit dans le ciel, Michel et ses anges s'avancèrent pour combattre le dragon. » Saint Michel, maigre et délié comme une grande sauterelle, avec une armure de chevalier, se rue dans une mêlée de cauchemar. Breughel a sans doute connu la parole de saint Pierre qui parle « d'esprits malfaisants répandus dans l'air » : un papillon de nuit voisine avec des bêtes fantastiques dont beaucoup s'apparentent aux poissons. A l'arrière-plan du tableau, une plante légère et arborescente achève de donner une impression d'aquarium excentrique. Cette terrible histoire est là pleine d'une gaieté qu'avive encore l'éclat de la couleur. Les yeux sont amusés, comme l'esprit, en allant de détail en détail dont chacun est poussé, dessiné, coloré à la perfection.

SATURNO DI GATTI (peignait entre 1488 et 1517). — Madone de Lorette. **64**

Bibliothèque Pierpont Morgan, New-York.

A Lorette, près d'Ancône, sur l'Adriatique, s'élève une basilique dans laquelle est encastrée une petite maison. C'est, dit-on, la « santa Casa », l'habita-tion de la sainte Famille à Nazareth, plus probablement un ex-voto édifié par les croisés. On fête la translation de Lorette le 10 décembre.

Un petit maître des Abruzzes, Saturnino di Gatti, qui peignait dans la manière d'Antomazzo Romano et de Fiorenzo di Lorenzo, a voulu illustrer cette tradition. Il imagine la Vierge et l'Enfant transportés avec leur maison, enrobée déjà dans une chapelle. Détail charmant : l'étoile des Mages est demeurée sur le toit. Les anges qui passent au-dessus de l'Adriatique avec leur fardeau sont maniérés et d'un dessin agité, sans toutefois donner l'impression de mouvement; la Madone est une paysanne des marches d'Ancône dont le visage est spiritualisé; le « Bambino » s'accroche à son manteau pour ne pas tomber. L'ensemble n'est pas sans élégance et d'un charme encore naïf pour l'époque.

BENOZZO GOZZOLI (1420-1498). — Les Anges chantant le *Gloria*. **65**

Fresque. Partie droite. Palais Riccardi, Florence.

Les Anges chantant le *Gloria*. **66**

Fresque. Partie gauche. Détail. Palais Riccardi, Florence.

Dans la chapelle si sombre du palais Riccardi se trouve de chaque côté d'un beau retable de Lippi une tombée d'anges de Gozzoli peints à fresque, puis, sur les autres parois, la célèbre et magnifique *Cavalcade des Rois mages*, où l'on reconnaît Côme, Pierre et Laurent de Médicis. Gozzoli, qui fut l'un des aides de Fra Angelico et peignit avec lui dans la cathédrale d'Orvieto, n'hérita point de sa spiritualité, mais de sa grâce humaine. Ses anges du palais Riccardi sont paisibles et joyeux, avec de jolies ailes en plumes de paon. Par l'inscription de leur auréole, on sait qu'ils chantent le *Gloria* dans un paysage radieux. Gozzoli a séjourné plusieurs années à Montefalco, le « balcon de l'Ombrie », et son imagination n'a pas eu beaucoup à ajouter, mais plutôt à réunir ses visions pour créer ce décor de lumière et de joie.

BENEDETTO BONFIGLI (1450-1496). — L'Ange de l'Annonciation. **67**

Pinacothèque royale, Pérouse.

Le nom de Benedetto Bonfigli apparaît pour la première fois vers 1453, date qui est sans doute celle de son *Annonciation*. Alors que la peinture, déspiritualisée en quelque sorte en faveur d'une beauté tout humaine, préparait Raphaël, Bonfigli peignait à Pérouse dans le sillage de Fra Angelico. Si près du Pérugin par l'époque, il a l'air d'un autre pays et d'un autre temps. Ses tableaux sont d'ailleurs très rares, mais il était grand et dévot décorateur de bannières. On en faisait alors beaucoup pour les processions corporatives ou de confréries. Avec Boccati de Camerino et Fiorenzo di Lorenzo, il représente une survivance du courant gothique à la veille de la Renaissance. La grâce fragile de son ange Gabriel, saluant Marie, est pourtant d'une certaine originalité, on croirait voir le portrait d'une toute jeune fille, parée pour une fête. La figure, irrégulière avec une lèvre supérieure trop longue et toutefois découvrant les dents, exprime beaucoup de jeunesse et de pureté.

Sandro BOTTICELLI (1444-1510). — **68**
La Main d'un Ange.
Détail du Magnificat. Musée des Offices,
Florence.

L'Ange sur les rayons d'or. **69**
Détail du Couronnement de la Vierge.
Musée des Offices, Florence.

« Botticelli est un réaliste, a dit Venturi, mais
un réaliste transcendant. » En effet, il synthétise sa
vision de la vie, il en saisit le rythme et le traduit avec
une simplicité dégagée qui a quelque chose de musical.

Sa *Vierge du Magnificat* n'est sans doute pas la
meilleure de ses œuvres, mais c'est l'une de celles exécutées avec le plus de facilité et qui dégage le plus de
charme, d'où sa popularité. La main d'un des deux anges
qui tiennent la couronne au-dessus de la Vierge a cette
grâce simple et rythmée qu'on retrouve dans toute
l'œuvre de Sandro.

La Vierge du *Magnificat*. **70**
Musée des Offices, Florence.

Tête d'Ange. **71**
Détail du Couronnement de la Vierge.
Musée des Offices, Florence.

Le *Couronnement de la Vierge*, également aux
Offices de Florence, est une œuvre postérieure au *Magnificat*, elle dénote beaucoup plus de mouvement et les
visages sont plus expressifs, surtout ceux des quatre
saints placés au bas du tableau.

L'Ange sur les rayons d'or est un détail de ce Couronnement ; placé sous la colombe lumineuse (à peine
esquissée et tout en feu) qui représente l'Esprit Saint,
l'ange reçoit sur lui la pluie mystérieuse de l'amour.
Botticelli était aussi un mystique.

Une belle *Tête d'ange* (planche 71) est encore
extraite de ce Couronnement.

La Nativité. **72**
National Gallery, Londres.

La Nativité nous révèle le Botticelli de la dernière manière. Il a connu Savonarole, s'est converti, a
renoncé à toute peinture profane. Par ailleurs, il s'est
animé davantage et donne toute liberté à son imagination. Malheureusement, son mouvement devient par
moments de la gesticulation ; mais quelles idées exquises !
Celle, par exemple, de ces anges embrassant les hommes
le jour de Noël, et dans la ronde qui tourne au-dessus du
toit de chaume, celle d'y faire tomber des couronnes.

Ronde des Anges. **73**
Détail du Couronnement de la Vierge.
Musée des Offices, Florence.

Et quelle ardeur, quelle jeunesse contenue
dans cette autre ronde (planche 73) !

Par l'ampleur de son œuvre, la personnalité
indépendante de son style, son rythme simple comme le
génie, Sandro Botticelli doit être mis à part de toute
école. Il aurait pu naître à n'importe quelle époque.

Saint Michel. **74**
Détail du retable de Saint-Barnabé. Musée
des Offices, Florence.

Ange offrant les clous de la **75**
Passion.
Détail du retable de Saint-Barnabé. Musée
des Offices, Florence.

Cette physionomie si grave, malgré sa jeunesse,
et un peu effrayée, de saint Michel (planche 74) est prise
au grand retable de Saint-Barnabé, considéré comme le
chef-d'œuvre de Sandro. Là, le mouvement et la sérénité
s'allient dans un juste équilibre, tandis que les couleurs
s'opposent en une magnifique symphonie. Du même
retable de Saint-Barnabé est détaché *l'Ange offrant les
clous de la Passion* (planche 75). Il fait pendant à un autre
ange qui, lui, présente la couronne d'épines. Placé à
droite et à gauche d'une *Madone à l'Enfant*, gracieuse et
mélancolique, ils semblent lui rappeler, en plein bonheur,
la triste prophétie de Siméon : « Un glaive transperce
votre cœur »...

Filippino LIPPI (1457-1504). — Tête **76**
d'Ange triste.
Musée de Strasbourg.

Filippino Lippi n'avait que six ans lorsque
mourut son père, le triste moine défroqué Filippo Lippi.
Celui-ci, dont la ravissante *Nativité* de Berlin (celle de
Florence n'est qu'une réplique moins bonne) fait date
dans la peinture, ne put donc influencer directement la
vocation de son fils, mais, avant de mourir, il l'avait
recommandé à Sandro Botticelli. C'est près de ce peintre
en effet que grandit Filippino et qu'il acquit son talent.

L'ange triste de Strasbourg a bien la coupe du
visage, le mouvement de tête, les lèvres épaisses et un peu
plates des personnages de Botticelli, mais la mélancolie
distinguée, indifférente, un peu sensuelle du maître est
devenue chez l'élève tristesse profonde et combien
expressive. Cette œuvre est de la première manière de
Filippino, la meilleure.

Ange priant. **77**
*Détail de l'Apparition de la Vierge à
saint Bernard.* Badia, Florence.

La grande toile de forme ronde qui repré-
sente *l'Apparition de la Vierge à saint Bernard*, tandis
qu'il écrit les sermons célèbres où il la glorifie, est
l'œuvre la plus connue de Filippino Lippi. Son paysage
de fond est d'une luminosité merveilleuse, le visage
transfiguré de saint Bernard, celui de la Vierge également diaphane et comme irréel sont d'une spiritualité
exquise. Quant aux anges qui admirent et prient, Lippi
a pris franchement des types d'enfants de chœur florentins, curieux et gais. Celui représenté ici comprime son
sourire et s'applique à la piété, il est ravissant, presque
trop ; ce type religieux sera exploité et banalisé par l'art
dit « de Saint-Sulpice ».

Piero della FRANCESCA (1410-1493). **78**
Le Baptême du Christ.
National Gallery, Londres.

Trois têtes d'Anges. **79**
Détail du précédent.

Né parmi les paysans ombriens à Borgo San
Sepolcro, disciple de Veneziano à Florence, Piero della
Francesca va dresser, au milieu de l'élégance florentine

parfois un peu mièvre, ses magnifiques visages de pasteurs antiques ; ils rappelleront l'art de la Grèce et resteront en même temps des primitifs, d'une humanité grave et robuste. Vasari rapporte qu'il fut d'abord attiré vers les mathématiques et l'un des meilleurs géomètres de son temps. Sa science de la perspective en avance sur son temps semble le confirmer. Il subit peu d'influences directes comme peintre, mais on peut dire qu'il avait la simplicité de Giotto, quelque chose de son dessin schématique, mais plus de solennité et cet art du volume, de poser les êtres et les choses dans l'espace avec leur poids, non de les découper simplement comme le maître primitif. Il eut aussi le pathétique de Mantegna, l'énergie corporelle de Donatello. Quant au coloris de son patron Domenico Veneziano, il le magnifie et l'allège à la fois dans un éclat translucide qui n'est qu'à lui. Son *Baptême du Christ* à la Gallery de Londres est l'un de ses premiers tableaux. Parmi les beaux nuages allongés dans la pureté du ciel, la blanche colombe plane et s'étire dans le même mouvement, comme si l'une des nuées s'était animée soudain et muée en oiseau de paix, les personnages évoluent dans un monde céleste. Toutefois le Christ est fortement construit, un peu massif dans sa robustesse ; les anges sont là comme des témoins, non comme des adorateurs. Les arbres et le paysage sont vrais. Les peintres de l'Italie centrale, dont fait partie Piero della Francesca, évoluaient au xvᵉ siècle vers un art de vérité encore un peu fruste, mais vigoureux ; ils résistaient rarement au plaisir de montrer leur science anatomique. L'homme qui se déshabille au second plan pour recevoir le baptême est un prétexte heureusement trouvé pour une étude de nu, où, déjà très habile.

Les *trois anges couronnés de fleurs* (planche 79) sont de jeunes paysans sublimes et calmes ; ils ont cette solennité antique que l'on trouve parfois chez les adolescents de forte souche rustique. Leur robustesse, qui s'allie à une poésie aussi suave que celle des primitifs de Sienne, fait saillie sur un fond de lumière diaphane, créant une atmosphère toute céleste.

L'Ange Gabriel. 80
Détail du retable de la Madone à l'Enfant.
Pinacothèque royale, Pérouse.

Le retable de Pérouse, ou l'*Adoration de l'Enfant*, se trouve inséré (on ne sait pas trop pourquoi) dans la scène de l'Annonciation : ce n'est pas la meilleure des œuvres de Piero della Francesca ; une galerie à perspective profonde semble être mise là, comme un exemple de la science technique du peintre, mais la tête d'ange, détachée de l'ensemble, est l'une des plus belles créées par le peintre ombrien. Elle a ce « calme épique » des grandes œuvres classiques ; les lignes de ses traits s'allient harmonieusement au dessin pur de la colonne corinthienne auprès de laquelle il s'agenouille. Piero della Francesca était très épris d'architecture, ses figures aux lignes simples et droites ont elles-mêmes quelque chose d'architectural.

Nativité. 81
National Gallery, Londres.

On a dit que Piero della Francesca avait su faire l'accord entre le monumental et l'intime ; dans la *Nativité* de Londres, c'est l'intime qui a pris le dessus. Ce petit tableau de genre, s'il n'a pas la vigueur des fresques du même peintre, est d'une rare poésie, l'ombre de

minuit n'envahit pas cette nativité, mais une lumière éblouie la baigne et le grêle enfant Jésus, posé sur un pan bleu du manteau de Marie, luit comme un joyau. Les anges pieds nus, mais aux robes ornées de perles, chantent à pleine voix comme ceux de della Robbia, en pinçant leur mandoline. Saint Joseph est assis sur un bât ; un vieux berger montre l'étoile, l'âne brait parmi le chœur des anges : des anges sans ailes, chose très rare dans l'iconographie du temps. Le soleil circule partout. Les fins détails s'allient dans ce petit chef-d'œuvre au charme pénétrant de l'Ombrie et au réalisme flamand.

MELOZZO DA FORLI (1438-1494). — Ange marchant. 82
Détail de l'Annonciation. Musée des Offices, Florence.

Entre l'ère gothique et la Renaissance, Melozzo, né à Forli, mais qui travailla surtout à Rome, incarne la transition. C'était, écrit de lui Louis Hourticq, « un de ces artistes savants tels qu'en suscitait à Florence et autour de Florence l'esprit moderne d'observation et d'analyse, et aussi un des Italiens qui surent le mieux accommoder au grand style de sa race un peu de la vigoureuse exactitude flamande ». Visiblement influencé par Mantegna, Melozzo da Forli n'a rien, en effet, de câlin ni de menu. Son ange marchant de Florence, représenté ici, et qui fait partie d'une Annonciation, est d'une robustesse féminine assez rare en son temps. Il reste malheureusement très peu de chose de Melozzo ; une œuvre plus riche et surtout mieux conservée aurait aidé à mieux comprendre l'évolution de la gracile élégance florentine à l'ample majesté de Michel-Ange et de Raphaël.

Ange au luth. 83
Fresque. Sacristie de la basilique de Saint-Pierre, Rome.

Cet ange vigoureux, d'un modelé si plein, où la science flamande s'allie au style italien, vient, comme plusieurs autres qui se trouvent à la sacristie de Saint-Pierre, d'une fresque peinte au Quirinal. Cette fresque, dite des saints Apôtres, avait pour partie centrale un *Christ montant au ciel et entouré d'anges* (effet de raccourci dans un pointillement d'or). Cette partie, l'ascension, est bien restée en place, mais on a détaché tant bien que mal des fragments de la composition d'ensemble, dont une série d'anges. Celui-là esquisse un mouvement de danse.

GIOVANNI BELLINI (1430-1516). — Ange musicien. 84
Détail de la Vierge et quatre saints. Église dei Frari, Venise.

De l'œuvre des trois Bellini : Jacopo, le père ; Giovanni et Gentile, les deux fils, la *Madone aux quatre Saints* est la plus célèbre. C'est l'un des chefs-d'œuvre de la première école vénitienne. Giovanni Bellini, tout en gardant un peu de la vigueur de son maître Mantegna, ne se souvient plus de son austérité ; il s'annonce très vénitien et déploie dans son tableau une richesse architecturale, une chaleur de coloris qui est déjà voluptueuse.

L'angelot musicien, qui touche sa mandoline aux pieds de la Vierge, assis en face d'un autre ange joueur de flûte, a le modelé ferme d'une sculpture, mais une grâce caressante qui annonce Titien.

Michel-Ange BUONAROTTI (1475-1564). — Jugement dernier.   85

Fresque. Détail. Chapelle Sixtine, Rome.

C'est sous Paul III que Michel-Ange lança sur les murs de la Sixtine son *Jugement dernier*, ce peuple de nudités à la fois convulsives et détendues, enchevêtrées dans les nuées, violentes et pourtant sereines comme tout ce qui porte le sceau du génie. Ici les anges sonnent de la trompette pour appeler les hommes au tribunal de Dieu. Une puissance capable de rassembler la poussière d'ossements dans tous les tombeaux du monde et de faire lever les morts, surgit de ces êtres titaniques aux muscles tendus à l'extrême. Le marbre dont Michel-Ange se jouait eût été impuissant. Affranchi de toute matière, de tout point d'appui, le décorateur de la Sixtine donne à loisir son maximum d'élasticité et de force dans la création de la vie.

La Vierge à l'Enfant avec saint Jean et des Anges.   86

National Gallery, Londres.

Ce petit tableau sur bois fut d'abord exposé au British Institute, en 1847, comme étant de Ghirlandajo, le premier maître de Michel-Ange. Cette erreur s'explique assez peu, étant donné l'ampleur qui se dégage de cette composition, dénotant déjà la liberté et la simplicité du génie. C'est peut-être l'une des premières peintures de Michel-Ange, ou plutôt, comme on l'inscrivit sous certaines reproductions, un tableau copié du grand maître. L'exposition de 1859 au British Institute l'attribua au génial décorateur de la chapelle Sixtine. Le manteau de la Vierge et les deux anges ne sont pas terminés. Si belle que soit cette œuvre, d'une sérénité antique, on n'y trouve point cette densité d'énergie qui jaillit des œuvres de Michel-Ange en sa maturité, donnant l'impression que des êtres vivants surgissent et vont vous parler. Si vraiment Michel-Ange a peint ce tableau, ce dont la critique actuelle doute encore, il n'avait pas alors délivré le démon intérieur qui s'agitait en lui et donna, dans la suite, une telle puissance à son œuvre.

École de BOTTICELLI. — Étude pour un Ange.   87

Dessin. Musée des Offtce, Florence.

Ce bel ange, en réalité plus qu'une étude car il est parfaitement dessiné, peut bien, malgré la réserve de l'attribution, être de Sandro Botticelli lui-même. Le Sandro de la dernière manière évidemment, dont les personnages parlaient et gesticulaient. Celui-là, si c'est un ange de l'Annonciation, est en train de démontrer à la Vierge Marie, d'un geste singulièrement éloquent, la nécessité pour elle d'accepter sa vocation vertigineuse. La pureté des lignes, la grâce de la silhouette, la forme du vêtement sont bien de Botticelli; seul le visage n'est pas (autant qu'on peut s'en rendre compte de profil) du type un peu plat et triangulaire qui lui était familier, mais le mouvement de la chevelure est bien de lui. Si c'est l'œuvre d'un élève, il était bien près du maître.

Giovanni BOTTICINI (1446-1497). — Tobie et les trois Archanges.   88

Académie des Beaux-Arts, Florence.

Francesco di Giovanni Botticini, élève de Botticelli et qui travailla sans doute avec Verrochio et Pollajuolo, eut souvent ses œuvres confondues avec celles de son maître et de ses amis. Son retable de Tobie, en particulier, fut attribué tour à tour à Botticelli, à Verrochio et à Pollajuolo. Cavalcaselle le restitua enfin à son véritable auteur : Botticini.

L'artiste a eu l'idée originale de représenter, à propos de l'histoire de Tobie, les trois archanges dont le nom et l'image nous sont le plus familiers : Gabriel reconnaissable à son lis, Raphaël qui conduit le jeune voyageur, Michel le guerrier, l'épée à la main. Dans le livre d'Enoch on trouve encore nommés quatre autres archanges : Raguel, Sariel, Remuel, et enfin Uriel, dont la fonction aurait été de chasser Adam et Ève du Paradis. Ici Gabriel est encore dans le rayonnement de Botticelli; le jeune Tobie rappelle le même personnage que nous allons retrouver sur un tableau de Pollajuolo; les deux autres anges enfin ont beaucoup de la facture de Verrochio. En réalité, Botticini tient des trois artistes, mais s'il n'est pas très original, nul ne peut lui refuser la grâce et l'éclat.

LE PÉRUGIN (1446-1524). — L'Ange Gabriel devant Marie.   89

Dessin. Musée Bonnat, Bayonne.

Si l'on doute que le dessin du musée des Offices soit bien de Botticelli ou de son école, il semble que l'hésitation ne soit pas justifiée quant à l'ange du musée Bonnat, catalogué cependant : « École du Pérugin ».

Le type du visage, le vêtement, la facture nette et dégagée du dessin, tout est du Pérugin, et tout annonce l'arrivée de Raphaël. Il n'est qu'à s'en rapporter à l'apparition de la Vierge à saint Bernard ou même à l'ange Raphaël du triptyque de la National Gallery : à la garniture près, la tunique, son échancrure et jusqu'à l'enroulement de la draperie, tout est semblable.

Andrea del VERROCCHIO (1435-1488). — Le Baptême du Christ.   90

Musée des Offices, Florence.

Quand le sculpteur Verrochio peignit en 1474 son *Baptême du Christ*, Léonard de Vinci avait vingt-deux ans et travaillait dans son atelier, à Florence; il y devait rester jusqu'à vingt-quatre ans. C'est pourquoi certains critiques attribuent à Léonard les anges de gauche, d'un dessin beaucoup moins sec que les personnages du Christ et du Baptiste; ils sont aussi beaucoup plus souplement vêtus que ce dernier. Autant l'anatomie du Christ et de saint Jean est âprement fouillée en lignes aiguës, rappelant le sculpteur et même le ciseleur qu'était Verrochio, autant les anges, légèrement posés, sont d'un peintre.

L'idée charmante de faire tenir par les anges les vêtements du Christ, pendant son baptême, avait été adoptée déjà par Masolino dans sa belle fresque de Castiglione d'Olona.

Léonard de VINCI (1452-1519). — L'Ange de la Vierge au rocher.   91

Détail. Musée du Louvre, Paris.

« Celui qui évite de mettre des ombres rend son œuvre méprisable aux bons esprits, pour la faveur du vulgaire ignorant qui ne cherche en peinture que le brillant du coloris et dédaigne la beauté et merveille du relief. » Ainsi s'exprimait Léonard de Vinci ; par les mêmes paroles il précisait la différence entre l'art des primitifs (brillant et plat) et l'art moderne des modelés, dus aux clairs-obscurs.

Ce n'était pas une révolution, c'était dans l'atelier de Verrochio, où Vinci travaillait avec Lorenzo di Credi, « l'accélération d'un mouvement » (Hourticq) commencé par les Lippi et Ghirlandajo. Mais la « beauté et merveille du relief » vont servir à autre chose, chez l'auteur de la *Joconde*, qu'à dégager complètement les personnages de leur plan ; par là il va poursuivre les moindres nuances de la vie ; tandis que les types de l'Angelico, de Botticelli, sont à peu près toujours les mêmes, Vinci va faire poindre au bout de son pinceau les mouvements les plus variés de l'âme (ainsi chacun des personnages de la *Cène* a son expression différente). La *Vierge aux Rochers* du Louvre (dont une réplique est à la Galerie nationale de Londres) est le triomphe des ombres moelleuses dégageant admirablement les volumes et la distribution de la lumière. L'ange aux douces paupières et au sourire spirituel, qui d'un index long et parfait montre le petit Jean-Baptiste, est une merveille de souplesse et de grâce.

L'Ange Gabriel.
Détail de l'Annonciation. Musée des Offices, Florence. **92**

Pourquoi hésite-t-on à attribuer franchement la belle *Annonciation* des Offices à Léonard de Vinci ? Elle est, dit-on, ou de lui ou de l'école de Verrochio. Ce qui apparaît comme le plus vraisemblable, c'est la jeunesse de Vinci au moment où il l'exécuta. Le souci des volumes ne se fait pas encore sentir comme dans la *Vierge aux rochers ;* le fond clair du paysage, l'expression si pure et les lignes simplifiées du visage de l'ange font penser encore aux primitifs : mais l'aisance des draperies, le coloris de la robe rouge, doublée d'un vert lumineux, la perfection du dessin sont bien d'un maître et très vraisemblablement de Vinci lui-même, mais de Vinci jeune, encore impressionné de ses devanciers et peut-être de Fra Angelico.

Antonio POLLAJUOLO (1428-1498). — Tobie et l'ange Raphaël.
Pinacothèque royale, Turin. **93**

Les deux frères Pollajuoli devaient leur nom (poulaillers) à leur père, marchand de volailles ; Antonio, le peintre de *Tobie et Raphaël*, travailla d'abord chez le sculpteur Ghiberti, où il prit la précision dure de ses lignes. Le tableau reproduit ici fut d'abord un ex-voto qu'il fit suspendre à l'un des piliers d'Or-San-Michele, à Florence. C'était alors une coutume charmante de faire ou de faire faire un tableau votif en l'honneur de saint Raphaël lorsqu'on avait envoyé son fils en voyage et qu'il était revenu sain et sauf. Ici, le bras gauche de l'ange est défectueux, mais l'ensemble du personnage est d'une majestueuse grandeur ; l'élégant jeune Tobie semblerait d'une autre main.

Raphaël SANZIO (1483-1520). — Deux Angelots.
Détail de la Vierge au baldaquin. Palais Pitti, Florence. **94**

Au bas d'une *Madone à l'Enfant* qui trône au centre d'un baldaquin circulaire, ces deux angelots déchiffrent une partition musicale en l'honneur de la Vierge. Ils représentent admirablement la Renaissance italienne. Par leur modelé et leur dessin sans défaut, ils sont un exemple de son goût pour la perfection sculpturale antique, mais, d'autre part, ils ont la facilité heureuse, presque la bonhomie italienne. La *Vierge au baldaquin* appartient à l'œuvre florentine de Raphaël (on sait qu'il eut une période ombrienne avec le Pérugin et que sa période romaine fut la plus glorieuse). A Florence, il travaillait en même temps que Vinci et Michel-Ange, mais il était tout à fait lui-même et sa *Vierge au baldaquin*, avec ses draperies et son style, pourrait être appelée le chef-d'œuvre de « l'art rococo », sans d'ailleurs aucune intention péjorative. Sa composition n'a pas de paysage de fond (aucune aération sur l'extérieur) et ne peut être comparée comme envergure aux «Stanze» de Rome, mais elle est d'un équilibre gracieux et parfait.

Vittore CARPACCIO (1460-1522). — Ange musicien.
Détail de la Présentation. Académie, Venise. **95**

Les fondateurs de l'école de Venise, Alvise Vivarini et Giovanni Bellini, avaient imaginé déjà, l'un à l'église du Rédempteur, l'autre à celle dei Frari (voir planche 84), de placer aux pieds de leur Madone un ange joueur de mandoline. Carpaccio a repris le même thème pour sa *Présentation au temple*, mais il a surpassé ses devanciers en « gentillesse ». Ce petit page figurant un ange accompagne en rêvant le *Nunc dimittis* que chante le vieux Siméon. La tendresse voluptueuse de Venise est dans ses yeux, dans la charmante désinvolture de sa pose et dans le chatoiement lumineux des draperies qui l'enveloppent.

Tiziano VECELLI (1477-1576) — L'Annonciation.
Scuola San Rocco, Venise. **96**

Quiconque traverse les Dolomites pour aller d'Italie en Tyrol, doit s'arrêter à Pieve di Cadore, ville natale de Titien ; il comprendra mieux son génie. La beauté de l'horizon, l'harmonieuse gradation des montagnes, la pureté dorée de l'atmosphère ont exalté son don de vision ; l'équilibre et l'harmonie sont entrés en lui, comme si naturellement, et l'on ne s'étonne pas qu'il ait mis si volontiers des montagnes dans son œuvre ; celles de son pays sont étagées avec une si rare beauté !

L'Annonciation reproduite ici n'est point faite en vue d'un paysage, cependant ; l'ange magnifique, chaussé de ses hauts cothurnes boutonnés de perles, occupe presque entièrement l'attention. Il n'a pas le mouvement extraordinaire du petit ange (presque un enfant) de *l'Annonciation* de Trévise, qui surgit en courant, messager de bonne nouvelle, mais celui-ci, vaporeux et se jouant dans la lumière, permet à Titien de déployer tous les sortilèges de sa palette.

Ange de l'Annonciation.
Étude au crayon. Musée des Offices, Florence. **97**

Cet autre ange de *l'Annonciation*, étude au crayon, aide à mesurer jusqu'à quel point Titien préparait ses œuvres, étudiait les volumes et la place des lumières.

L'Ange de la Mise au tombeau. 98
Détail. Musée du Prado, Madrid.

L'Ange de la Mise au tombeau apparaît sans ailes, à l'arrière-plan de la Pietà, accouru d'un ciel lunaire et presque translucide.

Tobie et l'ange Raphaël. 99
Église Saint-Marc, Venise.

L'ange Raphaël. 100
Détail du précédent.

Tobie et l'ange Raphaël nous offrent un nouvel aspect angélique dans la conception de Titien. Son Raphaël est fort et violent : « Dieu fait des vents ses envoyés et des flammes ardentes ses ministres », est-il dit dans les psaumes. L'impétuosité de ce texte anime la démarche et le geste du guide de Tobie.

Angelots. 101
Détail de l'Assunta. Académie, Venise.

Les *Angelots* (planche 101) sont retirés de *l'Assunta*, à l'Académie de Venise. *L'Assunta* fut le grand triomphe de Titien. Le 20 mars 1510 on la transporta aux yeux de tout Venise émerveillé sur le maître-autel de l'église des Franciscains. Dolci en écrivait quarante ans plus tard : « C'est la majesté de Michel-Ange avec l'enchantement et la beauté de Raphaël et la couleur même de la nature. » Quant aux angelots, ils incarnent toute la joie de Titien ; ils se jouent à travers les draperies, plongent dans les nuages et s'envolent dans la lumière, mais libres, heureux, ensoleillés comme le génie du plus grand maître vénitien.

JACOPO ROBERTI, dit LE TINTO- 102
RET (1512-1594). — **L'Annonciation.**
Scuola San Rocco, Venise.

Jacopo Roberti, dit le Tintoret (parce que son père exerçait le métier de teinturier), naquit à Venise en 1512 et toute sa vie ne fut qu' « un furieux labeur ». A la porte de son atelier on pouvait lire cette devise ambitieuse : « Le coloris de Titien et le dessin de Michel-Ange. » Le coloris de Titien, il l'éteignit dans ses ombres à reflets fulgurants, souvent en opposition brusque avec des éclairages livides ; le dessin de Michel-Ange, il l'asservit à un mouvement parfois désordonné, presque à une gesticulation, mais toujours au profit du pathétique. Sa spontanéité est prodigieuse et toujours servie par une incroyable facilité d'expression.

Il aime à représenter des martyres, des miracles, des apparitions imprévues comme celle de saint Marc sur la place de Venise, où il se joue de la pesanteur. Il couvrit la Scuola San-Rocco, ou « Confrérie de saint Roch », de cinquante-six peintures qui ont renouvelé l'iconographie. Cette *Annonciation* en fait partie. On y voit la Vierge secouée d'effroi et Gabriel s'élancer vers elle, suivi d'un tourbillon d'angelots, à travers un mur qui s'effondre. Même en la plus paisible scène de l'Évangile, la plus intérieure et secrète, le Tintoret apporte sa fougue et son mouvement dramatique.

PAOLO CALIARI, dit LE VÉRONÈSE 103
(1528-1588). — **L'Incendie de Sodome.**
Détail du suivant.

L'Incendie de Sodome: 104
Musée du Louvre, Paris.

Paolo Caliari, appelé le Véronèse parce qu'il était né à Vérone, où il travailla longtemps, ne fut pas plus tôt venu à Venise (en 1554) que son talent éclata dans toute sa richesse. Il avait trouvé son climat. Le Tintoret assombrissait alors le coloris de Titien. Véronèse, qui n'avait pas la sensibilité profonde, l'émotion de l'un ni de l'autre, fit de nouveau chanter la couleur et y réussit comme personne. Il va méprisant les positions savantes des ombres et des éclairages pour faire jouer les reflets des choses; elles miroitent placées en pleine clarté. Les riches étoffes, les souples soies vénitiennes surtout, lui donnent l'occasion de déployer sa science des nuances et des reflets. Il a peint de nombreuses scènes de l'Évangile : *le Repas chez Simon*, maintenant à Turin; *le Repas chez Levi*, à Venise; *les Noces de Cana*, au Louvre; il y prit prétexte à déployer toute l'opulence vénitienne. *L'Incendie de Sodome* (planche 104) lui sert à mettre au premier plan deux jeunes femmes entraînées par un ange; elles ont des robes admirablement chatoyantes où tout est caresse pour les yeux.

Un ange dans l'ombre (planche 103) encourage Loth à ne point se retourner, car, là-bas, se détachant, — toute blanche sur le rougeoiement du ciel embrasé, — sa femme, surprise par la pluie de sels incandescents, est déjà changée en statue.

Véronèse n'est pas un expressionniste, mais comme il excelle à faire mouvoir ses personnages avec des gestes amples et de belle attitude! Les décors, dans ses compositions, retiennent l'admiration plus que le sujet. C'est avant tout un visuel, que la beauté du monde enchante sous tous ses aspects; il ne s'arrête point à étudier le pathétique, encore moins le douloureux, dans les sujets de tous genres qu'il a traités.

CARLO CRIVELLI (peignait entre 1457 105
et 1493). — **Angelots pleurant**
le Christ mort.
Fragment de polyptyque. Collection Johnson, Philadelphie.

Des deux frères Vittorino et Carlo Crivelli, ce dernier est le plus connu; il ne peignit pas à Venise, mais s'y était formé et tenait à honneur d'être considéré comme Vénitien; c'est pourquoi il avait l'habitude de signer ses œuvres : « Opus Caroli Crivelli Veneti. » En réalité, son œuvre fut exécutée surtout à Vérone. On a dit qu'il était un byzantin égaré dans la Renaissance. Byzantin, il l'est par l'emploi de l'or dans sa peinture qui, par ailleurs, imite les émaux et les mosaïques avec des fonds et encadrements gaufrés comme les vieux missels. Mais du style de Byzance il n'a ni la statique ni la sérénité, tout ce qu'il peint, au contraire, est convulsé, parfois grimaçant. Son art tient presque plus de l'orfévrerie que de la peinture. Il cisèle finement, durement même, les moindres détails et l'ornementation occupe une très grande part dans ses tableaux. On voit ici un fragment de polyptyque, qui rappelle beaucoup une grande *Pietà* plus connue. Le fond est composé de deux tons d'or, les chairs sont livides, le parapet et la draperie rouges, les tuniques des anges sont l'une verte, l'autre rouge. La douleur convulsive des personnages est moins grimaçante que dans les autres œuvres du même artiste.

MICHEL-ANGE MERISI, dit LE CARA-
    VAGE (1569-1609). — La   106
    Fuite en Égypte.
    Palais Doria, Rome.

Les anges, dans la peinture, sont devenus de moins en moins célestes à mesure que s'écoulaient les siècles; c'est seulement dans le nôtre qu'ils recommencent à être surnaturels. Celui de Michel-Ange Merisi, né à Caravaggio, et dit le Caravage, dans sa *Fuite en Égypte*, est une nymphe païenne. Le bon saint Joseph n'en est pas effarouché, au contraire, il lui tient la partition pendant qu'elle joue du violon. Caravage était fou de musique et de fleurs, ses tableaux embaument et résonnent d'une sensibilité sans trivialité encore que plébéienne. Sa Vierge, endormie sur l'adorable bébé, est une femme du peuple, du savoureux Transtévère romain. Il aimait la beauté simple et populaire à la manière d'un Courbet ou d'un Manet. Sans appartenir à aucune école, il eut une grande influence sur son siècle, mais c'est surtout le nôtre qui doit le saluer comme un précurseur : sa place, a dit Gillet, est « parmi les fondateurs de la peinture moderne ».

GÉRARD HONTHORST, dit GHERARDO
    DELLE NOTTI (1590-1656). —   107
    La Crèche.
    Musée des Offices, Florence.

Gérard Honthorst naquit à Utrecht et fut attiré vers l'Italie dès les débuts de sa carrière artistique. C'était l'époque où les peintres de Hollande et des Flandres venaient en foule à Venise, à Florence et à Rome. Sa préférence pour les effets de lumière, opposés à l'ombre nocturne, le fit appeler le peintre des nuits. C'est pourquoi on le désigne ordinairement non sous son vrai nom : Gérard Honthorst, mais sous celui plus poétique de Gherardo delle Notti, Gérard des Nuits. La merveilleuse aventure de Noël ne pouvait manquer de séduire son talent, il n'a rien fait de plus beau que cette crèche qui luit si merveilleusement à minuit et éclaire le visage de la Vierge Mère et de deux anges, tandis que saint Joseph émerge à peine de la nuit profonde. Le peintre a su transposer le type hollandais dans l'italianisme de sa peinture, les visages larges et courts sont bien de son pays, mais ce n'est pas au détriment de leur charme candide.

GIAN DOMENICO TIEPOLO (1727-1804).
    — Agar et Ismaël.   108
    Nelson Museum, Kansas City, U. S. A.

Héritier de l'élégance raffinée de son père Giambattista Tiepolo, Domenico n'a pas une personnalité de peintre aussi accusée, mais il le surpasse presque en charme. Dans cette scène biblique, Ismaël le fils de l'esclave chassée par Abraham et mourant de soif dans le désert, est un jeune fils de famille, vénitien, vêtu de bleu ciel, qui tombe en pâmoison; sa mère, en costume de soie et corsage bariolé, en discute avec un bel ange grave, à tunique rose, aux longs yeux et aux lèvres fortes. A la place du tragique biblique, une douceur intime se dégage, qui est propre à Domenico Tiepolo; au reste, il a gardé de Giambattista le goût des couleurs claires et chatoyantes; on l'a comparé à notre Fragonard.

CONRAD WITZ (1398-1454). — La Déli-
    vrance de saint Pierre.   109
    Musée d'Archéologie, Genève.

L'école allemande nous fait revenir un siècle en arrière.

Conrad Witz, fils de Hans Witz (peintre également célèbre en son temps), naquit vers 1398, probablement à Constance. Son œuvre principale fut un grand retable qu'il peignit vers 1444, pour la cathédrale de Genève. La délivrance de saint Pierre fait partie d'un volet de ce retable. L'artiste a suivi le récit des Actes des Apôtres concernant l'emprisonnement de saint Pierre à Jérusalem par le roi Hérode; mais il a représenté sur un même plan les deux épisodes : l'ange rompant les chaînes de l'apôtre, puis lui faisant franchir la porte sans éveiller les sentinelles.

Malgré sa naïveté, Witz est déjà un réaliste. L'architecture de la prison reproduit celle de Genève (aux environs de la cathédrale) en son temps; les figures et les gestes sont pleins de vie. Il manque de perspective, mais dispose admirablement la lumière sur les personnages au point de leur donner le relief des statues.

LE MAITRE DE LIESBORN (peignait
    en 1465). — Cinq Anges ado-   110
    rant l'Enfant.
    Retable de l'abbaye de Munster.

L'Ange au Graal.   111
    Retable de l'abbaye de Munster.

C'est en 1465 que fut solennellement consacré le maître-autel, en l'église de l'abbaye de Liesborn, près de Munster. Pour cet autel avait été peint un grand retable dont beaucoup de fragments furent malheureusement dispersés. On en put admirer plusieurs à l'Exposition de Dusseldorf.

L'artiste, seulement désigné par son œuvre capitale, était sans doute un moine bénédictin de l'abbaye. Inspiré par une émouvante piété, il imagine, ayant la Passion comme sujet de son œuvre, que ces anges viennent recueillir le Saint Sang dans un Graal (planche 111), selon la légende si populaire en ce temps.

Un autre panneau représente la Nativité. Ces beaux anges graves (planche 110) sont à la fois pleins d'ingénuité et de noblesse; les personnages se détachent sur un fond d'or. Le maître de Liesborn est certainement le plus grand artiste westphalien du XVᵉ siècle.

HANS BALDUNG GRIEN (1475-1545). —
    L'Adoration de l'Enfant.   112
    Détail. Badische Kunsthalle, Carls-
    ruhe.

Les angelots qui soutiennent l'enfant Jésus et, d'ailleurs, à en juger par son expression, l'agacent un peu, sont tout lumineux de la clarté qui émane de lui. Cette clarté illumine aussi la Vierge et le vieux saint Joseph; sans l'enfant de Noël, les personnages de l'étable seraient plongés dans l'ombre nocturne. Ce détail de la Nativité fait partie d'un grand retable : le *Couronnement de la Vierge*. Ouvert, il représente, outre le sujet principal, saint Pierre, saint Paul et les autres apôtres; fermé, la Nativité, la Visitation, l'Annonciation et la Fuite en Égypte; ce dernier sujet est égayé lui aussi par des essaims d'anges qui s'abattent sur les arbres et font plier les branches pour mettre les fruits à la portée de la sainte Famille. Baldung Grien a, dans son dessin, beaucoup de la netteté incisive de Dürer, mais il a connu aussi les féeries lumineuses de Grünewald, il tient donc de l'un et de l'autre, encore que l'influence italienne ait détendu et un peu amolli son génie.

LE MAITRE DE SAINT-SÉVERIN
(fin du XVᵉ siècle). — Le Songe de sainte Ursule.
113
Musée de Cologne.

Aucune légende de sainte n'apparaît plus fantastique que celle de sainte Ursule. Fille du roi de Cornouailles, elle s'embarque avec onze mille vierges destinées à être mariées aux soldats de l'armée romaine, puis vient échouer avec toute sa flotte aux côtes d'Allemagne, enfin à Cologne. L'épisode de l'apparition d'un ange venant avertir sainte Ursule, pendant la nuit, qu'elle serait martyrisée par les Huns, avec ses compagnes, n'est relaté ni aux martyrologes, ni dans les Bollandistes. Jacques de Voragine est seul à le raconter dans la « Légende dorée ». Ce même thème d'un esprit céleste entrant dans la chambre à coucher de la vierge endormie a été repris par Carpaccio, à Venise.

Le maître de Saint-Séverin appartient à l'école de Cologne, où le culte de sainte Ursule est particulièrement en honneur; c'est un peintre gothique aux coloris assez étranges, tantôt ternes et terreux, tantôt enflammés. Son apparition d'un ange à sainte Ursule est d'une très belle tonalité rouge et or avec des oppositions très sombres; cela crée une atmosphère magique, bien propre aux apparitions.

ALBERT DÜRER (1471-1528). — La Vierge au serin.
114
Kaiser-Friedrich Museum, Berlin.

Albert Dürer, fils d'un pauvre orfèvre de Nuremberg, entra à quinze ans dans l'atelier de Wohlgemut, qui était alors chef de l'école locale de peinture. La caractéristique de Dürer est que, restant dans la tradition gothique, il garde une originalité très à lui et par ailleurs très allemande. Cette originalité se manifeste surtout dans les gravures sur bois, qui furent son premier attrait. Il donna trois grandes séries de ces gravures : l'*Apocalypse*, la *Grande Passion* et la *Vie de la Vierge*. Il voyagea ensuite en Italie, à Venise particulièrement, et fut influencé surtout par Mantegna, dont la force quelquefois un peu sauvage ne pouvait manquer de le séduire, mais il goûta aussi beaucoup Bellini, auquel il emprunta son coloris lumineux. Ce fut dans les dernières années de sa vie qu'il donna le meilleur de son œuvre, ses portraits magnifiques et les quatre apôtres, si expressifs, qu'on voit à la Pinacothèque de Munich.

La *Vierge au serin* (planche 114) rappelle, au point de pouvoir la confondre avec elle, sa célèbre *Madone du rosaire*. C'est le même visage fin un peu étonné, plein et blond, une vraie représentation de l'Allemagne opulente et mystique du Rhin, telle qu'on pouvait l'imaginer alors. Dans les menus détails, cheveux dorés de la Vierge, de l'enfant et des angelots, plumage du serin, arbustes du jardin, on retrouve la pointe fine du graveur.

L'Ange qui tient la clef de l'abîme.
115

Les quatre Anges qui retiennent les vents.
116

Gravures sur bois pour l'Apocalypse.
Bibliothèque nationale, Paris.

L'Ange qui tient la clef de l'abîme fut exécuté en 1498. On était à la veille de la Réforme, les abus de l'Église romaine étaient commentés dans toute l'Allemagne par des cerveaux excités. Dürer avait vingt-sept ans, il appliquait alors, comme beaucoup de ses compatriotes, à la capitale des Papes les malédictions sur la cité prostituée, la « Babylone assise sur la bête ».

Le caractère étrange et terrifiant des prophéties de saint Jean servait à merveille son burin tourmenté, hachant le bois en mille frisures comme des feuilles de chicorée. La planche la plus célèbre et qui mérite par son mouvement extraordinaire est « la grande chevauchée de l'Apocalypse ». Ici nous voyons « l'ange qui tenait dans sa main la clef de l'abîme; il saisit le dragon, — dit le texte de saint Jean, — le serpent ancien qui est le diable et Satan, et il l'enchaîne pour mille ans. Et il le jeta dans l'abîme... »

La gravure sur bois de la même suite, *Les Quatre Anges qui retiennent les vents* (planche 116), illustre le texte suivant : « Je vis quatre anges qui étaient debout aux quatre coins de la terre, ils retenaient les vents de la terre... Et je vis un autre ange qui montait du côté où le soleil se lève tenant le sceau du Dieu vivant (l'ange qui vole tenant la croix). Il cria d'une voix forte aux quatre anges : « Ne faites point de mal à la terre, ni à la mer, ni aux arbres, jusqu'à ce que nous ayons marqué au front les serviteurs de notre Dieu. » On voit en effet un ange occupé à dessiner une croix sur le front des justes : les grands fléaux de la fin des temps vont commencer.

ALBERT ALTDORFER (1480-1538). — La Sainte Famille à la fontaine.
117
Kaiser-Friedrich Museum, Berlin.

Altdorfer, appelé « le petit Albert », était l'architecte attitré de la ville de Ratisbonne, d'où la place de l'architecture dans son œuvre. Ici la fontaine fut sans doute l'inspiration principale de l'artiste, mais il en fit un tableau votif, comme l'explique l'inscription d'hommage datée de 1510 à gauche du tableau. Le petit maître bavarois, vaguement de l'école de Dürer, a eu l'idée amusante de répandre un peu partout les angelots dont, primitivement, il faisait un motif décoratif pour le fût de sa fontaine. Ce tableau est le premier qu'il ait signé. Il reprendra plus tard ce thème d'une architecture décorée d'angelots dans sa *Naissance de la Vierge* qui représente une cathédrale, avec des bébés ailés faisant des rondes entre les piliers. Un peintre français du XVIIᵉ siècle, Gourmont, reprendra à son compte la même inspiration.

LUCAS CRANACH (1472-1553). — Le Repos en Égypte.
118
Kaiser-Friedrich Museum, Berlin.

Pour s'offrir la joie malicieuse de dérouter les critiques, un fils de Lucas Cranach (Lucas Cranach le jeune) s'amusa à pasticher son père avec adresse. Quant au *Repos en Égypte*, c'est le premier tableau que Cranach le vieux ait signé. Il n'a rien de l'individualité que révéleront plus tard les portraits du même peintre, celui de Frédéric de Saxe, apoplectique, ou du docteur Schung, impressionnant de dureté froide, mais le vêtement rouge de la Vierge aux longs cheveux blonds éclate en fanfare sur le vert du gazon. Sa composition est d'une poésie populaire comme les contes de Grimm.

Lucas Cranach eut une carrière facile. Il fut assez tôt employé officiellement à peindre des fresques dans les châteaux électoraux de l'Empire, puis il devint le peintre attitré du luthéranisme. Quand l'électeur de Saxe lui conféra des armoiries où il y avait un dragon, ce fut ce dragon qui lui servit de sceau, remplaçant sa propre signature sur ses tableaux. D'abord c'était un dragon couronné, avec des ailes de chauve-souris; mais après la mort de son fils Hans, le dragon avait des ailes d'oiseau, tristement repliées.

MATHIAS GRÜNEWALD (1470-1527). — Saint Gabriel. **119**

Un Séraphin jouant de la viole d'amour. **120**

Ange musicien. **121**
Détails du retable d'Isenheim. Musée de Colmar.

Le fameux retable d'Isenheim est un retable à transformation dont on montrait les aspects selon les temps liturgiques. Les jours de fête de la Vierge, on ouvrait la première série de volets et les fidèles voyaient apparaître des mystères de joie : la Nativité entre l'Annonciation et la Résurrection. Pendant le Carême, au contraire, les mystères douloureux étaient exposés à la méditation des fidèles. La glorification de saint Antoine en plusieurs épisodes donnait encore un troisième aspect. Le retable est maintenant dans l'ancien cloître ogival d'Unterlinden, à Colmar, inséré dans son cadre ancien, gardant toujours intact son parfum du passé, comme les chefs-d'œuvre de Memling à l'hôpital Saint-Jean de Bruges.

Les personnages de Grünewald sont tous un peu fous ou un peu ivres, avec un mouvement qui touche à la dislocation; les doigts sont convulsés, retournés et les expressions intenses; ce que le peintre d'Isenheim a surtout apporté à la peinture, c'est un éclairage nouveau, une lumière féerique, dorée, rose ou bleuâtre, comme l'aube de sa Nativité.

Ici (planche 119), *Gabriel saluant Marie* sous une arcature gothique est d'un réalisme puissant, avec cette note un peu étrange qui est à la fois de Grünewald lui-même et de l'époque picturale allemande.

Le *Séraphin jouant de la viole d'amour* (planche 120) est tiré du *Concert des Anges*, lequel fait partie du panneau de la Nativité dans le grand retable d'Isenheim.

« Le nom de séraphin, écrit le pseudo-Denys (déjà cité), indique l'intensité, l'impétuosité sainte de leur généreux et invisible élan... » Le visage de cet ange chantant en jouant de la viole brûle parmi les plumes d'oiseaux divers, dressées autour de lui comme des flammes. L'intensité, l'impétuosité sainte dont parle le vieil auteur n'ont jamais été mieux rendues. Mais pourquoi les personnages de Grünewald n'ont-ils jamais de sérénité, ni même de jeunesse?

Parmi les anges extasiés, l'*Ange musicien* (planche 121) offre un type populaire et germanique très accentué, encore que la joie le transfigure; c'est un gamin d'Alsace, rieur et bon enfant, égaré dans l'essaim séraphique; sa main curieusement baguée n'est pas longue, gothique, avec des doigts retournés comme celle de l'ange de l'Annonciation, mais sa musculature est nerveuse et puissante comme celle de toutes les mains de Grünewald.

FERDINAND BOL (1616-1680). — L'Échelle de Jacob. **122**
Galerie Royale, Dresde.

A l'époque où les peintres disaient : « Hors de Rembrandt pas de salut », Ferdinand Bol peignait dans l'atelier du maître avec un tel art d'imitation qu'on a eu un moment l'idée (assez peu défendable d'ailleurs) de lui attribuer la fameuse *Ronde de Nuit*.

Son *Échelle de Jacob* est une des œuvres qui rappellent le plus la manière du maître (voir par exemple la *Vision de Daniel*, Pl. 129), tant pour la façon dont la lumière émerge des ombres que pour les types eux-mêmes. Celui de Jacob endormi pourrait être du pinceau de Rembrandt. On se souvient du texte biblique illustré ici : « Il (Jacob) vit en songe une échelle posée sur la terre, et dont le sommet touchait au ciel, et les anges de Dieu la montaient et la descendaient, et le Seigneur, appuyé sur l'échelle, lui disait : « Je suis le Seigneur, le Dieu d'Abraham, ton père... »

EUGÈNE DELACROIX (1798-1863). — La Fuite de Loth (d'après **123** P.-P. RUBENS).
Musée du Louvre, Paris.

Avec la *Vierge aux Anges* du Louvre, *la Fuite de Loth*, au même musée, est l'un des rares tableaux du grand maître flamand qui n'aient pas été retouchés. La délicatesse fervente des tons, les glacés légers, sont intacts. La joie exubérante de Rubens n'arrive pas à se muer en tragique douleur. Seul le vieux Loth a l'air de réellement souffrir; quant à l'ange qui guide les émigrants, il exulte de jeunesse et rayonne dans tous les tons chauds de feu qui sont un régal pour les yeux. Les deux jeunes femmes près du portrait débordent aussi d'une vie réjouie encore accentuée par les détails familiers : l'âne docile et le petit chien jappant.

Delacroix s'est plu à copier en une pochade rapide ce tableau fameux, témoignant ainsi de l'influence profonde sur notre XIXe siècle du grand Flamand qui, le premier, « peignit avec son pinceau ». Dans sa copie, la hardiesse des tons l'emporte encore sur ceux des vieux maîtres et le ciel embrasé de lueurs fauves voit le vol tourmenté des légions célestes.

De l'ancienne collection Viau, ce curieux petit tableau est passé en 1943 au musée du Louvre.

REMBRANDT (1606-1669). — L'Ange arrêtant l'ânesse de Balaam. **124**
Musée Cognacq-Jay, Paris.

D'après l'exemple biblique donné au livre des Nombres, les bêtes seraient plus aptes que les hommes à voir les anges. Cet épisode pittoresque (Balaam frappant à tour de bras son ânesse arrêtée par un ange qu'il même ne voit point) devait tenter le génie de Rembrandt. On l'a dit lié à Manassé ben Israël, dont il aurait été le disciple avec Spinoza, son ami et voisin de la rue des Juifs à Amsterdam. Sans avoir fait de grands voyages, il avait le goût des turqueries, des friperies, des défroques éclatantes émergeant des ombres noires. Le costume et la coiffure de Balaam lui donnent prétexte à cette rutilance qu'aimera Delacroix. Il a réussi ce tour de force de faire parler vraiment l'ânesse; elle reste une bête et cependant on l'entend protester : « Pourquoi me frappez-vous? Ne suis-je pas votre animal sur lequel vous montez toujours? Dites si je vous ai jamais fait quelque chose de semblable... »

Il fallut le miracle d'un âne qui parle pour « ouvrir les yeux à Balaam », comme dit encore la Bible, et c'est alors qu'il vit l'ange sur le chemin, l'épée hors du fourreau.

Rembrandt était un historien curieux d'anecdotes. Il dégage complètement ses tableaux religieux du conventionnel pieux et raconte volontiers la vie dans ses détails et ses nuances amusantes et psychologiques.

L'Ange parlant à l'oreille de saint Matthieu. 125
Détail. Musée du Louvre, Paris.

Cet ange est en réalité un homme. Rembrandt ne s'y est pas trompé qui lui a donné un visage caractéristique comme un portrait et l'a démuni d'ailes. Le symbole de saint Matthieu n'est point l'ange, en effet, mais l'homme. Toutefois, puisqu'il s'agit d'un symbole tout spirituel, il est assez logique que la tradition et, en particulier, la tradition picturale (voir planche 149), ait fait de cet homme un messager céleste. Les évangélistes ont chacun un signe tiré du commencement de leur livre. Saint Matthieu, débutant par la généalogie humaine du Christ, a donc une tête d'homme ; saint Luc, une tête de bœuf, à cause du sacerdoce de Zacharie au temple de Jérusalem dont il parle d'abord (le bœuf signifie la victime immolée) ; saint Marc, un lion, parce que son premier récit est celui de Jean au désert ; à Jean, qui nous entraîne, au début de son récit, dans les hauteurs inaccessibles de la génération éternelle du Verbe, appartient l'emblème de l'aigle.

Cette application se réfère aussi au texte du prophète Ezéchiel : « Ils avaient (les animaux de la vision) tous les quatre une face d'homme, une face de lion à leur droite et une face de bœuf à leur gauche et une face d'aigle au-dessus d'eux quatre. »

Rembrandt connaissait sans doute également le texte de l'épître de saint Pierre : « L'Évangile est un mystère profond où les anges désirent plonger leur regard » (Ép. de saint Pierre, 1, 12).

Jacob luttant avec l'ange. 126
Galerie nationale, Berlin.

Jacob ferme les yeux, desserre les lèvres ; malgré la force athlétique dénoncée par la puissance de sa structure, il est maintenant à bout de force, il va mourir, mais l'ange qui l'enserre par la hanche, par la poitrine et par le cou, le regarde avec un intérêt presque paternel. Lui qui sera le vaincu volontaire ne porte nulle trace de fatigue, il est jeune, serein et beau, c'est à peine si son épaule droite émergeant de la tunique trahit l'effort. Il attend que l'homme soit au dernier souffle dans sa lutte avec le divin pour lui donner le prix de la victoire. Tel est le sens mystique du texte qui inspira Rembrandt. Ici, l'ange, comme les trois visiteurs mystérieux d'Abraham, représentent Dieu lui-même. On ne dit point que Jacob ait été fort contre un ange, mais « fort contre Dieu », dans sa lutte de toute une nuit avec un inconnu. Nul sujet ne pouvait mieux inspirer le génie puissant dont on a dit qu'il était (avec Michel-Ange et Beethoven) l'un des trois titans de l'humanité.

L'Archange Raphaël quitte la famille de Tobie. 127
Musée du Louvre, Paris.

Lorsque l'inconnu qui avait guidé le jeune Tobie pendant son périlleux voyage l'eut ramené à Ninive avec Sara, sa jeune femme délivrée de Satan, lorsqu'il eut encore guéri la cécité du vieux Tobie et rendu l'argent de Gabelus, il déclara : « Je suis Raphaël, l'un des sept qui nous tenons devant le Seigneur. » Puis, ayant ajouté qu'il ne s'était nourri devant eux qu'en apparence, car sa nourriture d'ange était invisible et mystérieuse, il fut enlevé et toute la famille resta trois heures prosternée sur le sol. Rembrandt a saisi le moment du départ de l'ange qui fuit à tire d'aile, en un raccourci savant et léger, tandis que toute la famille s'effondre. Le dégagement de la lumière au milieu des fortes ombres est là particulièrement saisissant. C'est une des plus belles pages de ce qu'on a appelé la « Bible de Rembrandt ». On y trouve, avec l'ampleur et la force du vol angélique, cette note familiale et d'intimité si propre au grand maître.

Abraham reçoit les anges à sa table. 128
Musée de l'Ermitage, Leningrad.

Le thème mystérieux des trois anges figurant la Trinité, et que l'art byzantin (voir planche 13) avait traité avec une spiritualité si dépouillée, est devenu chez Rembrandt une scène familière. Abraham est un magnifique marchand flamand, discutant avec ses commensaux, tandis que, dissimulée dans l'ombre de la porte, sa servante curieuse écoute leur conversation. La première impression est toute d'intimité, mais le regard insistant et la splendeur auguste de chaque visage (celui du patriarche et celui des anges), la beauté de chaque geste, transfigurent cette atmosphère domestique, si merveilleusement éclairée que quelque chose s'en dégage de biblique et de sacré.

La Vision de Daniel. 129
Galerie nationale, Berlin.

Rembrandt, qui connaissait la Bible dans les moindres textes, a eu l'idée de représenter l'un des plus mystérieux. Le prophète Daniel, effrayé d'avoir vu un bouc devenu tout à coup extrêmement grand et qui avait d'abord une corne puis quatre autres, s'était effondré à terre. Alors l'ange Gabriel, représenté ici sous la figure d'un enfant, le relève et lui explique le sens du bouc symbolisant le roi des Grecs. Le texte est assez confus, mais Rembrandt a su en profiter pour se jouer des ombres dans un paysage ténébreux et fantastique où rayonne la candeur de l'ange et sa lumière sur le visage de Daniel.

ÉCOLE CATALANE, style de FERRER BASSA (début du XVe siècle). — L'Ange Gabriel. 130
Détail du retable de Cardona. Musée d'Art ancien, Barcelone.

Du grand retable de Cardona, représentant les scènes de la vie de Jésus et de Marie, un panneau détaché fut envoyé à l'Exposition de l'art catalan au musée du Jeu-de-Paume, en 1934. Il se divise en deux compartiments : en haut, l'Annonciation avec Gabriel, reproduit ici ; en bas, l'Adoration des Mages.

Le style de ce bel ange est le plus admirable échantillon de l'italianisme (introduit par Ferrer Bassa) dans le style gothique catalan. Il joint à la grâce florentine la poésie toscane, la fermeté espagnole. Les modelés sont plus nets et plus pleins que chez les primitifs italiens ; l'œil, plus oriental, avec même quelque chose de maure, donne un caractère très particulier à ce beau visage juvénile.

Si l'on doit à l'Exposition de l'art catalan d'en connaître en France quelques beaux exemples, cette exposition, si bien organisée qu'elle fût, n'a pu donner qu'un reflet assez pâle de l'essor artistique primitif en Catalogne. C'est en visitant le musée de Barcelone que, par une comparaison en faveur de l'Espagne, cette insuffisance s'impose à l'esprit. Là, dans un décor roman mystérieux à souhait et qui reconstitue leur cadre primitif, les fresques romanes, détachées sans dommage pour elles, au prix de précautions inouïes, ont été rétablies dans toute leur splendeur. Mais, dès la salle où commence l'époque de la peinture gothique, les voûtes sombres s'élargissent et s'élancent pour que s'épanouissent les panneaux à fonds d'or et à couleurs vives dans la clarté qui leur est propre. C'est vraiment une réussite exceptionnelle.

EL GRECO (1541-1614). — Un Ange.
Détail de l'Enterrement du comte d'Orgaz   131
Église San-Tomé, Tolède.

Groupe d'Anges.
Détail du Baptême du Christ. Hôpital   132
Saint-Jean-Baptiste, Tolède.

Ange musicien.
Détail du Martyre de saint Maurice. An-   133
ciennement à l'Escorial. Musée du
Prado, Madrid.

Ange au violoncelle.
Détail du Martyre de saint Maurice.   134
Anciennement à l'Escorial. Musée du
Prado, Madrid.

Rappeler que le Greco naquit à Phodele dans l'île de Crète, qu'il acquit sa technique auprès du Titien, à Venise, et qu'il vint se fixer pour peindre à Tolède, c'est donner déjà les éléments principaux de son génie.

La Crète est cette terre agreste et lumineuse où les plus anciens éléments de l'art grec jaillirent, comme spontanément, nés de la beauté du ciel, de la terre et des eaux. Or le Greco est le plus libre et le plus spontané des peintres, « dédaigneux de s'expliquer », comme dit Barrès. Son génie est un jet victorieux et incoercible : tel « l'Esprit » dont parle l'Évangile, on ne sait d'où il vient ni où il va. Sa formation technique à Venise le fit plus libre encore en l'aidant à vaincre les difficultés matérielles d'exécution. Le Titien était alors le maître de la peinture européenne, « c'est lui le porte-drapeau », devait bientôt proclamer Velazquez, « el que eleva la bandera ». Après Venise, le Greco vint à Rome, mais n'y resta point. C'est à Tolède qu'il se fixa et devint tout à fait lui-même. Espagnol, il l'est à la façon d'un « conquistador », fait remarquer Maurice Legendre. En réalité, ce Grec fut surtout le fils de Tolède, il exprime cette ville d'alors, à la fois réaliste et mystique, avec une égale intensité. A l'époque où le Greco devint Tolédan (vers 1577), il trouva l'esprit de sainte Thérèse rayonnant d'une de ses récentes et plus ferventes fondations carmélitaines. Les Jésuites, qui y comptaient alors des écrivains et des humanistes éminents, possédaient spirituellement la cité ; des poètes comme Medilina et Ereilla y écrivaient leurs plus beaux vers. Cette atmosphère exaltante lui convenait à merveille. Chez le Greco, comme d'ailleurs chez sainte Thérèse, à laquelle on ne peut s'empêcher de

penser quand on parle de lui, l'exaltation ne détruit rien de la nature que son génie a spiritualisée. A propos de sa *Pentecôte*, Barrès a écrit : « Tous ces êtres, apôtres et saintes Femmes, qui à bien voir sont des portraits, s'élancent d'un même mouvement, hors de leur condition naturelle... Nous les voyons devant nous qui se spiritualisent. Un enchantement d'enthousiasme les perce et les spiritualise. »

Le groupe d'anges en extase du *Baptême du Christ*, à l'hôpital Saint-Jean-Baptiste de Tolède (planche 132), illustre d'une façon frappante les paroles de Barrès. Ces visages au nez épaté par le raccourci seraient d'un réalisme presque vulgaire si un élan spirituel ne les tirait en plein surnaturel ; le sentiment intérieur les idéalise au point de les rendre extatiques, et cette force du sentiment transfigurant un visage, quand elle est rendue par un peintre, est le comble de l'expressionnisme. L'expressionnisme est le don tranchant du Greco.

Merveille de souplesse et de liberté picturale, cet autre ange (planche 131), détail de l'*Enterrement du comte d'Orgaz* (église San Tomé, Tolède), qui sépare le plan supérieur (le ciel) du plan inférieur (l'enterrement du comte d'Orgaz), se joue de toute pesanteur, et nous retrouvons là les sortilèges du Titien. Les *Anges musiciens*, du *Martyre de saint Maurice* (anciennement à l'Escorial, aujourd'hui au musée du Prado), sont parmi les plus beaux du Greco. Celui qui joue de la mandoline (planche 133) installé sur un nuage avec tant d'aisance, déploie des ailes comparables à celles des plus belles Victoires antiques, elles frémissent et s'élancent, tandis que le visage du musicien contemple avec une calme tendresse. C'est « l'être puissant et fort » dont parle David dans les psaumes, précisément à propos des anges. L'*Ange au violoncelle* du même tableau (planche 134), traité en taches comme aurait fait Cézanne, est plus féminin, on sent davantage d'ailleurs le portrait, mais il n'a pas moins de noblesse.

Le Songe de Philippe II.
Anciennement à l'Escorial. Musée du   135
Prado, Madrid.

Le Songe de Philippe II nous donne un ensemble qui, pour n'avoir pas la valeur de l'*Enterrement du comte d'Orgaz* ou de la *Pentecôte*, est surtout remarquable par l'essor concentrique des anges vers le nom mystérieux : « I H S » (Jésus) qui luit dans les profondeurs célestes. Le robuste modelé des membres angéliques témoigne encore du réalisme du Greco, même quand il escalade le paradis.

Il ne mourut pas fou, comme on l'a dit, et les crânes oblongs de ses personnages sont plutôt des signes de mysticisme que d'aliénation proprement dite ; mais, tel beaucoup de génies, ce fut un obsédé. Son obsession (encore qu'il n'en fît à personne la confidence) était d'exprimer le spirituel avec le naturel, la plus haute mystique avec la matière, la matière tangible. Il y a réussi.

Deux Anges.
Détail de la Trinité. Musée du Prado,   136
Madrid.

Les *Deux Anges*, détail de *la Trinité* (au Prado), sont, avec une grâce mélancolique qui s'allie parfois au génie viril du Greco, des chefs-d'œuvre de sensibilité.

Diego VELAZQUEZ (1599-1660). — Angelots. **137**

Détail du Couronnement de la Vierge.
Musée du Prado, Madrid.

C'est vers ces angelots que la Vierge du *Couronnement* de Velazquez abaisse ses yeux de souveraine. Quelque chose de l'auguste sérénité du plus noble visage de femme qu'ait exprimé un peintre est tombé sur les poupines figures ; mais ce sont surtout de beaux bébés andalous dont les fins cheveux sont si vivants et si doux qu'on voudrait les caresser. Peut-être l'artiste a-t-il fait ici le portrait de deux des six petits-enfants que lui donna sa fille ? Au milieu de son époque, il est parfaitement laïc dans ses œuvres religieuses (d'ailleurs assez rares) parce qu'il est avant tout un peintre de la vie. Mais la vie, il la voit de la cour où il remplit le rôle de grand maréchal du Palais (*aposentador*) et rien dans son existence, en apparence heureuse, n'a pu troubler la sérénité impersonnelle de son pinceau. De toutes ses œuvres, le *Couronnement de la Vierge* est peut-être celle où éclate le mieux la simplicité magnifique du génie.

Juan de VALDES LEAL (1630-1691). — Saint Jérôme flagellé par les anges en présence du Christ. **138**

Musée de Séville.

« Une vue à se boucher le nez. » C'est ainsi que Murillo parlait du tableau le plus célèbre de Valdes Leal : *Finis Gloriæ*, vision de charnier où deux corps, tête-bêche, celui d'un gentilhomme et celui d'un évêque, verdissent sous le grouillement des vers. Un tel réalisme est-il en avance sur le siècle ou, au contraire, s'apparente-t-il encore au moyen âge en reprenant le thème célèbre du *Triomphe de la Mort* d'Orcagna ? Quoi qu'il en soit, si Valdes Leal fut un peintre très inégal, d'un mouvement excessif qui devient parfois du désordre, on trouve dans ses défauts mêmes une réaction contre l'affadissement de la peinture religieuse en son temps. La véritable personnalité du peintre éclate au musée de Séville (sa ville natale), dans cette petite salle où l'on peut embrasser d'un seul coup d'œil, avec l'admirable scène : *Jean et Marie sur le chemin du Calvaire*, les deux panneaux relatifs à la vie de saint Jérôme. L'un représente la tentation du saint qui, d'un geste douloureux, renvoie les « charmantes diablesses venues de l'enfer pour le tenter », l'autre (et c'est celui reproduit ici) *la Flagellation par les anges en présence du Christ*. On sait que ce châtiment tomba sur saint Jérôme pour le punir de son goût pour les lectures profanes.

L'ange aux doigts écartés qui nous tourne le dos, est peint tout en couleurs franches, avec des tons violets et roses pâles.

Francisco ZURBARAN (1598-1662). — L'Ange à l'encensoir. **139**

Musée de Cadix.

L'ampleur et la majesté du geste de l'*Ange à l'encensoir* de la cathédrale de Cordoue en font une des créations les plus heureuses de Zurbaran. De grandeur naturelle (la plupart des œuvres du peintre sévillan sont à une échelle supérieure souvent à la réalité), il avait un pendant dont le visage plus mièvre fait ressortir la fermeté de celui reproduit ici.

Vision de saint Pierre Nolasque. **140**

Musée du Prado, Madrid.

Réalisme puissant jusqu'à la violence, mais qui s'applique à ne peindre que le surnaturel, tel est le secret de l'impression extraordinaire produite par les tableaux de Zurbaran.

Fils de pauvres paysans de l'Estramadure, il débuta dans l'atelier d'un prêtre sévillan, Juan de las Roelas, et consacra sa vie à peindre des sujets religieux et particulièrement extatiques. Depuis le retable de Saint-Pierre à Séville (1624) jusqu'à la *Conception* de Perth (1661), en passant par la *Vision du Bienheureux Rodriguez* et ce chef-d'œuvre qu'est l'*Apothéose de saint Thomas d'Aquin*, le peintre a placé des portraits saisissants de vérité en plein monde céleste. On raconte qu'il fallut un ordre personnel du roi pour lui faire peindre à Madrid les douze travaux d'Hercule : ce sont les seules peintures profanes qu'il ait exécutées, ou du moins tentées, car il ne les acheva pas. Il peignit pour les Carmels, les Chartreuses, les églises, et le plus souvent des visions, ou des moines visionnaires, tel le fameux *Moine en prière*, prêté au Louvre par Louis-Philippe avec tout un musée espagnol (il est maintenant à Londres). Cet étrange et magnifique portrait fit la fortune de Zurbaran chez les romantiques français :

Moines de Zurbaran, fantômes qui, dans l'ombre,
Glissez silencieux sur les dalles des morts...

La *Vision de saint Pierre Nolasque*, reproduite ici (planche 140), donne au peintre l'occasion de camper, dans un splendide éclairage, un ange au geste éloquent et drapé dans une robe magnifique, mais dont le menu visage, rond et si jeune, est un type charmant d'adolescent espagnol. Saint Pierre Nolasque, qui fonda l'Ordre de la Merci pour la rédemption des captifs, en s'engageant, lui et ses disciples, à se vendre comme esclaves s'il était nécessaire pour sauver des chrétiens, était français. Originaire du pays de Carcassonne, il avait fui l'hérésie albigeoise et s'était retiré à Barcelone où il eut pour son œuvre l'appui de Jacques Iᵉʳ d'Aragon et de saint Raymond de Pennafort. Cette grande figure était bien propre à tenter le pinceau de Zurbaran ; il représente le saint voyant en songe la Jérusalem céleste que lui désigne le doigt de l'ange. Par son mélange de naïveté et de grandeur, Zurbaran est peut-être le plus vrai poète de la peinture espagnole.

B.-E. MURILLO (1618-1682). — La Cuisine des Anges. **141**

Musée du Louvre, Paris.

Murillo, orphelin élevé dans la rue, qui vécut sa jeunesse comme les *muchachos* et les va-nu-pieds de sa ville, avait toujours aimé les couvents accueillants de la ville et le rutilement doux des images de sainteté. Après avoir essayé timidement dans des marchés en plein vent de vendre à des paysans et à des curés de village ses premiers essais religieux, il alla à Madrid où l'accueillit Velazquez. Trois ans plus tard, il revenait à Séville peintre célèbre, mais toujours ami des monastères et des églises, où le peuple espagnol porte si volontiers ses émotions. On le voyait souvent chez les Cordeliers ; c'est là qu'il apprit l'histoire merveilleuse du pauvre frère San Diego : cuisinier dans son couvent, il était fréquemment ravi par l'extase, d'où retards, erreurs fâcheuses dans sa cuisine et remontrances. Or, un jour qu'il s'était oublié dans l'oraison, il se retrouva tout bouleversé : l'heure du repas avait sonné depuis lontgemps, rien n'était prêt. Aucun dommage cependant, les anges, pendant l'extase, avaient fait son travail.

Le tableau qui raconte, au Louvre, cette anecdote, vient sans doute d'un couvent franciscain où il fut commandé en l'honneur de San Diego. Murillo montre simultanément le gardien du couvent et ses hôtes de marque arrivant pour être témoins du miracle, le saint en extase et les anges faisant la cuisine, surpris par le cuisinier retardataire. L'artiste au pinceau facile, un peu mou peut-être et sans intellectualisme, réussissait à merveille ces représentations religieuses chères à la piété espagnole.

FRANCISCO GOYA (1746-1828). — Anges.   142

Détail d'une fresque, Sant'Antonio de la Florida, Madrid.

Alors que l'art davidien faisait triompher, non seulement en France mais dans la plus grande partie de l'Europe, un néo-classicisme souvent froid et conventionnel, Goya continuait à faire jaillir sur ses toiles une Espagne toute chaude, violente et sincère, avec un débordement de vie directe, rendue en de prestigieuses couleurs.

Impressionné par l'époque exceptionnelle pendant laquelle il vivait, Goya peignit d'abord la vie heureuse de son pays à la fin du XVIIIᵉ siècle, ses fêtes en plein air avec de belles filles bien campées à l'œil vif, ses marchés pittoresques et ses galantes amours.

Peintre attitré des grands, il commença vers la même époque une éblouissante galerie de portraits de la cour et de la société madrilène. Mais l'année 1792 le laissa assombri par une maladie et complètement sourd; plus tard, les événements de 1812 et les horreurs de la guerre d'Espagne marquèrent les étapes d'un pessimisme amer qui imprègne chaque année davantage son œuvre.

Religieux, Goya ne l'a jamais été. Si son morceau de réception à l'Académie est un *Christ en croix*, celui-ci est loin d'être son œuvre maîtresse; certaine *Vierge à l'Enfant* est de l'académisme le plus fade. Seule, à la fin de sa vie, l'inoubliable *Communion de San José de Calasanz* marque un essor du peintre vers les cimes spirituelles.

Les anges qui emplissent la petite chapelle de Sant'Antonio de la Florida à Madrid, et dont un détail est reproduit ici, n'ont rien de religieux : ce sont des « manolas » langoureuses et fines.

Ces anges féminins de Sant'Antonio accompagnent la scène du *Miracle de saint Antoine ressuscitant un mort*. Le dernier miracle du saint, disent les fervents de Goya, fut de préserver pendant la guerre civile la chapelle qui porte son nom. Elle se dresse en effet dans ce nord de la ville, si cruellement éprouvé, où l'on peut voir des chèvres brouter entre les pierres, au bord du fleuve, à la place d'un quartier jadis plein d'animation et de joyeuse jeunesse. Restaurées avec goût, les fresques éclatent aujourd'hui de couleurs rose, verte, jaune, bleue, aussi vives que les délicieux cartons de tapisserie qu'on admire dans la salle basse du Prado.

GEORGES DE LA TOUR (né en 1591). — Le Songe de saint Joseph.   143

Musée de Nantes.

On sait peu de chose de la jeunesse du peintre dont l'acte de baptême, à Lunéville, porte la date de 1591. Il est à supposer qu'il fit le voyage d'Italie au temps de sa formation artistique, et c'est là plutôt qu'en Hollande qu'il dut connaître Honthorst (Gherardo delle Notti), dont il semble qu'il ait subi l'influence. Comme lui, en effet, il s'appliquera presque exclusivement à rendre, dans son œuvre picturale, des éclairages nocturnes. Mais tandis que Gherardo use d'une lumière conventionnelle, comme dans sa *Nativité*, d'ailleurs délicieuse (voir planche 107), Georges de la Tour, « peintre de la réalité », rend minutieusement les clairs-obscurs produits par une lumière allumée dans la nuit. La lueur d'une flamme de bougie se retrouve dans la plupart de ses œuvres.

Georges de la Tour est donc un réaliste doué d'une puissante et très originale personnalité artistique. On s'étonne qu'il ait été si longtemps oublié. De son temps, il connut les faveurs de Louis XIII. En 1646, il recevait le titre de « peintre ordinaire du roi ». On raconte que lorsqu'il offrit au roi son *Saint Sébastien dans la nuit*, le souverain le trouva si parfait qu'il fit enlever tous les autres tableaux de sa chambre pour ne plus voir que celui de La Tour. En 1863, un architecte de Nancy, Alexandre Joly, publia un opuscule sur son compatriote lorrain, mais il avoue ne pas connaître son œuvre. De nos jours seulement, et grâce surtout à MM. Paul Jamot, Charles Sterling et aux érudites recherches de M. Parizet, Georges de la Tour a repris la place qu'il mérite dans la peinture française. L'exposition des « Peintres de la réalité » en 1934 l'a fait découvrir au public. *Le Songe de saint Joseph* illustre l'épisode évangélique où il est dit que saint Joseph ayant douté de Marie, la voyant enceinte, un ange lui apparut, disant : « Ne crains pas de la prendre pour épouse, c'est l'œuvre de l'Esprit saint. » On retrouve dans cette toile toutes les qualités de Georges de la Tour, une poésie familière jointe au meilleur réalisme, ou plutôt tirée du réel lui-même. L'opposition de la jeunesse de l'ange (une enfant de la famille du peintre? et du vieillard est saisissante. Une douce lumière centrée baigne les visages et vous laisse dans une délicieuse atmosphère de mystérieuse intimité.

LOUIS LE NAIN (1593-1648). — La Naissance de la Vierge.   144

Détail. Église Saint-Étienne-du-Mont, Paris.

Entre les trois frères Le Nain, il est difficile de déterminer l'œuvre de chacun, sauf naturellement celle de Mathieu dans la partie artistique qui suivit la mort de ses frères. Cependant le catalogue de l'Exposition Le Nain au Grand-Palais (1904) attribue à Louis (celui des frères qui mourut le plus jeune) la toile qui représente la *Naissance de la Vierge*, à Saint-Étienne-du-Mont. Napoléon en fit don à cette église, l'une des plus populaires de Paris, qui contient la châsse de sainte Geneviève, patronne de la ville. Elle est en effet très parisienne, cette composition, qui transpose dans une scène religieuse des visages familiers au quartier de la Montagne-Sainte-Geneviève. Le vieux saint Joachim pourrait être un bouquiniste un peu idéalisé, et la nourrice, ou la sage-femme, qui tient l'enfant pourrait tenir le même rôle dans une famille commerçante de la rue Monge; mais les anges surtout, aux minois futés, sont de vrais gamins de Paris, éveillés, intelligents, ébourriffés aussi.

Simon VOUET (1590-1649). — Mise au Tombeau. 145
Musée d'Épinal.

Au début du XVIIe siècle, Simon Vouet était le maître le moins contesté de la peinture; son prestige dura une quinzaine d'années, il ne fut repoussé dans une ombre relative que par Poussin, Le Brun et Le Sueur. On aurait pu croire d'abord qu'il demeurerait toute sa vie un peintre d'Italie; c'est dans ce pays qu'il se maria avec Virginia da Vezzo et fonda sa famille; il fut reçu à Rome prince de l'Académie de Saint-Luc. Mais en 1627 il fut rappelé en France par Louis XIII et nommé premier peintre du roi. Sa qualité maîtresse fut la fécondité, presque tous nos musées et beaucoup de nos églises (Saint-Eustache, Saint-Merri, etc.) possèdent de ses toiles, dont un grand nombre d'allégories. La *Mise au Tombeau* du musée d'Épinal témoigne de sa facilité de composition et de modelé.

Vouet avait bien saisi le coloris chatoyant des Vénitiens; ses ombres légères avec des tonalités roses et violettes font présager le XVIIIe siècle.

Eustache LE SUEUR (1617-1655). — La Famille de Tobie remerciant l'ange Raphaël. 146
Musée de Grenoble.

Eustache Le Sueur, élève de Vouet, mais qui s'en détacha bien vite et donna, contrairement à son maître, des tableaux très aérés, est un type assez curieux d'italianisant qui n'a jamais été en Italie. Raphaël, qu'il étudia au Louvre, était l'objet, de son admiration profonde. Très français cependant, il a l'ordonnance un peu pompeuse de Philippe de Champaigne, avec moins de chaleur; il tient du Poussin l'amour des ruines. Sa peinture exprime la sérénité des atmosphères lumineuses et transparentes des beaux soirs tranquilles. Ces qualités s'expriment pleinement dans l'*Action de grâces de Tobie et de sa famille*. Il a saisi le moment du départ de l'ange, alors que le pieux Tobie, sa femme et son fils, ayant reconnu le personnage surnaturel, se prosternaient devant lui. Mais déjà l'archange s'enfuit dans le ciel léger, avec une aisance aérienne. Cette toile a été détachée du plafond de l'hôtel Fieubet, à Paris, et achetée par le musée de Grenoble.

Édouard MANET (1832-1883). — Les Anges au tombeau du Chrits. 147
Aquarelle. Musée du Louvre, Paris.

Manet fit d'abord une toile, inspirée peut-être du *Christ aux Anges* du Tintoret, et qui appartient maintenant au Metropolitan Museum, à New-York; puis il en fit une aquarelle dont il fit don à Émile Zola; sa veuve en hérita, puis la légua elle-même au musée du Louvre. On a reproché à Manet d'avoir placé à droite la blessure du Christ. La libre franchise de facture propre à Manet, la clarté de ses couleurs qui ouvrit la voie aux impressionnistes, ne sont pas les plus hautes qualités de cette œuvre. Ce Christ mort vit encore, son regard

perce les ténèbres et scrute les limbes mystérieuses, il montre ses plaies aux âmes des morts qu'il rejoint dans l'éternité. L'impression de ce cadavre divin qui parle est bouleversante.

Nicolas POUSSIN (1594-1665). — Le Ravissement de saint Paul. 148
Musée du Louvre, Paris.

Il y a deux aspects de Poussin : celui de l'imitateur passionné de l'antique qui, selon l'expression de Louis Gillet, « entreprit à vingt-cinq ans la fuite dans le passé », s'interdit toute imagination, s'hypnotisa sur la seule valeur plastique.

Le second est tout différent, c'est un Poussin paysagiste, sensible à l'atmosphère et à l'unité des choses dans la nature.

Le *Ravissement de saint Paul* fait partie de ce second aspect de Poussin.

Le ravissement de saint Paul pourrait être plus exactement appelé son assomption. On voit en effet le glaive de la décapitation à ses pieds et, dans le lointain, les lignes sèches de la campagne romaine; il est donc possible d'en conclure que c'est sa montée au ciel après sa mort. Quant au ravissement lui-même, qui eut lieu pendant sa vie, saint Paul s'exprime ainsi : « Je connais un homme en Jésus-Christ qui a été ravi jusqu'au troisième ciel (est-ce avec son corps ou sans son corps, je ne sais), mais là il lui a été donné d'entendre des paroles ineffables qu'il n'est pas permis à un homme de révéler. »

Le *Ravissement de saint Paul* est très nettement inspiré du tableau de Raphaël : *Vision d'Ézéchiel*, mais l'œuvre de Poussin est plus lourde.

Saint Matthieu et l'Ange. 149
Musée de Berlin.

Nicolas Poussin, paysagiste, n'a pas perdu le sens de l'ordre, de la composition architecturale parfaite, mais il gagne celui du rythme vrai de la nature et de sa beauté. Là, il est vraiment sensible. Il habitait à Rome sur le Pincio, près de Claude Lorrain et de Salvator. Chaque matin il faisait, dit son biographe Bellois, une petite promenade dans les « vignes » des villas romaines. On appelle encore « promenade de Poussin » tel chemin qui va vers le Tibre au delà de la « vallée Giulia ». C'est là qu'il peignit ce paysage, admirable de sérénité, où saint Matthieu et l'ange ne sont qu'un sujet très secondaire. Poussin imagine l'apôtre écrivant son évangile au bord du Tibre, sous la dictée d'un ange. Il ne s'appuie sur aucun trait biographique, ni même sur une légende. Saint Matthieu, qui fut martyr en Éthiopie, ne vint sans doute jamais à Rome. La présence d'un vieillard assis sur des ruines et visité par un esprit de lumière n'est donc là que pour parfaire un paysage empreint d'une grandeur très sereine et très pure. Poussin est le premier maître du paysage.

Eugène DELACROIX (1798-1863). — Héliodore chassé du temple. 150
Église Saint-Sulpice, Paris.

Lutte de Jacob avec l'Ange. 151
Détail. Eglise Saint-Sulpice, Paris.

« Delacroix, lac de sang hanté des mauvais anges », écrivait Baudelaire dans *les Fleurs du Mal*; Focillon, relevant ce vers, rétorque à propos : « Delacroix n'a rien d'un poète maudit, et quand il a peint le mauvais ange, c'est la plus médiocre de ses productions. Le Méphisto de son Faust sent le magasin d'accessoires. »

Delacroix, le grand romantique de la peinture, n'est pas en effet sur le versant du « vague de passions et de la mélancolie », chère à Chateaubriand, mais du côté positif, celui qui est une fusée de jeunesse et de vie, une richesse de sentiments, d'images et de tons qui fait éclater tous les cadres; il se place entre Victor Hugo et Michelet; du premier, il a le lyrisme éclatant, la vivacité de couleur et l'inépuisable variété; du second, le sens du pittoresque historique, le don d'animer le passé. Delacroix est donc le peintre non des mauvais anges, mais des anges de Dieu, forts et puissants.

Son *Héliodore chassé du temple* (planche 150) lui donne prétexte non seulement à la création de l'extraordinaire personnage aérien qui frappe de verges Héliodore terrassé, mais au cheval hallucinant, plus beau que ceux de ses *Fantasias* et de la *Justice de Trajan*. Le texte biblique (second livre des Machabées) était bien propice à tenter le génie d'un Delacroix. Héliodore est envoyé par le gouverneur de la Cœlésyrie pour s'emparer du trésor caché au temple de Jérusalem. Lorsqu'il pénètre dans le sanctuaire, apparaît un cheval orné d'un très beau capaçaçon, ayant un cavalier terrible, et ce cheval foula Héliodore à ses pieds. Parurent aussi deux autres jeunes hommes brillant de gloire qui le flagellèrent.

Dans la même chapelle des Anges, à l'église Saint-Sulpice, Delacroix a repris le sujet si admirablement traité par Rembrandt, *la Lutte de Jacob avec l'Ange* (planche 151). La beauté biblique du paysage, le corps athlétique de Jacob, touché par l'Ange à la cuisse (ce dont il demeurera boiteux pour toujours), le mouvement et la couleur prouvent que Delacroix pouvait rester lui-même avec tous ses dons de fougue et d'éclat, même dans de purs sujets décoratifs.

La chapelle des Anges, à Saint-Sulpice, est peinte à la cire.

GEORGES ROUAULT (né en 1871). — L'Ange gardien.   **152**
Gouache.

Georges Rouault, il aime à le raconter, est né rue de Ménilmontant, dans une cave, pendant que la maison tremblait sous les obus des Versaillais. C'était donc en mai 1871. Est-ce à cette dramatique entrée dans la vie qu'il doit la sensibilité vibrante qui se révèle dans toute son œuvre? Le peintre cruel de la série des «Juges», l'observateur aigu de la misère pathétique des «faubourgs» et des «clowns», révèle une extraordinaire capacité de sensation et d'expression. Dédaigneux du modèle cependant, Rouault est un mystique qui traduit directement par la couleur ses ébranlements intimes. Ses *Christ de douleur* sont parmi les plus vibrants de la peinture contemporaine, leur coloris en fait comme des morceaux de vitrail où s'accroche la lumière.

Il nous donne la primeur d'une gouache inédite, cet *Ange gardien* où s'exprime un élan de pureté, de simplicité, de paix, et la nostalgie des au-delà où règne la sérénité angélique.

En bandeau, page 10 : BOTTICELLI. Dessin pour « *La Divine Comédie* » de Dante, Paradis, XXVIII.
(Dante explique à Béatrice les hiérarchies célestes).

Fer de la couverture, d'après : L'Ange Gabriel séparant les Justes des Damnés, au tympan de la cathédrale d'Autun.

BIBLIOGRAPHIE SOMMAIRE

L'ouvrage le plus accessible est celui de Dom Vonier, *Les Anges,* Éditions Spes, 1938. Mentionnons aussi le *Saint Michel Archange* du R. P. Michel Gasnier, Lethielleux, 1944.

Pour une étude plus approfondie, les articles « Anges », dans le *Dictionnaire de la Bible* (Vacant), le *Dictionnaire de Théologie catholique* (Vacant, Bareille et Parisot), le *Dictionnaire de Spiritualité* (Duhr), le *Dictionnaire pratique des Connaissances religieuses* (Jean Rivière). Les articles « Angélologie » et « Ange de Yahweh » dans le *Supplément du Dictionnaire de la Bible* (Lemonnyer et Touzard).

Les *Hiérarchies célestes* du pseudo-Denys ont été traduites par Mgr Darboy (Bonne Presse). Les traités de saint Thomas d'Aquin : *Somme théologique,* I Pars, qu. 50-54 et 106-114, n'ont pas encore paru dans la traduction de la *Revue des Jeunes;* on doit donc recourir, si l'on ne lit pas le latin, à une traduction ancienne ou au Commentaire du P. Pègues.

Fameux sermons de saint Bernard sur les anges gardiens, *P. L.,* 183, col. 225-138. Bossuet, *Sermon sur les Anges gardiens,* Œuvres oratoires, édition Urbain et Lévêque, t. II, pp. 93-115. Newman, *Le monde invisible,* trad. Bremond : *La Vie chrétienne,* Bloud et Gay, 1906, pp. 34-48. Il y a une note bien suggestive de Paul Claudel, datant de 1910, dans *Présence et Prophétie,* Fribourg (Suisse), 1942, pp. 227-233. (Je crois qu'on sera, en revanche, déçu par la note qui suit, datée de 1933.)

Sur les apparitions angéliques dans l'histoire de l'Église, les Bollandistes, au 29 septembre, et Dom Meunier, *Sous la garde des saints Anges,* 1930.

Dom Calmet, *Dissertation sur les bons et sur les mauvais Anges,* en tête du *Commentaire littéral sur saint Luc,* 1715, pp. XXVII-LXIII.

Sur l'iconographie des anges, l'article « Anges » du *Dictionnaire d'Archéologie chrétienne et de Liturgie* (Dom Leclerc); Abel Fabre, *Pages d'Art chrétien,* Bonne Presse, pp. 351-374, et surtout Villette, *L'Ange dans l'Art d'Occident,* Laurens, 1939.

TABLE DES MATIÈRES

★